Longman
Reading Mentor joy 1

지은이 교재개발연구소
편집 및 기획 English Nine
발행처 Pearson Education South Asia Pte Ltd.
판매처 inkedu(inkbooks)
전화 02-455-9620(주문 및 고객지원)
팩스 02-455-9619
등록 제13-579호

ISBN 979-11-88228-35-5

잘못된 책은 구입처에서 바꿔 드립니다.

Longman

Reading
Mentor

joy
1

Pearson

Introduction

Reading Mentor Joy 시리즈는 초등학생 및 초보자를 위한 영어 읽기 학습 교재로, 전체 2개의 레벨 총 6권으로 구성되어 있습니다.

이 시리즈는 수준별로 다양한 주제의 글들을 통해서 학습자들의 문장 이해력과 글 독해력 향상을 주요 목표로 하고 있습니다. 또한 어휘와 문맥을 파악하고 글의 특성에 맞는 글 독해력 향상을 위한 체계적인 코너들을 구성하여 전체 내용을 효과적으로 이해할 수 있도록 구성했습니다.

학습자들의 수준에 맞는 다양한 주제의 글들을 통해서 학습에 동기부여를 제공함과 더불어 다양한 배경 지식과 상식을 넓히는 계기가 될 것입니다.

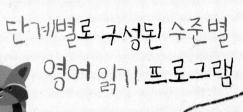

단계별로 구성된 수준별
영어 읽기 프로그램

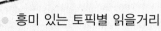

- 흥미 있는 토픽별 읽을거리
- 문맥을 통한 내용 파악 연습
- 재미있게 영단어 확인 학습
- 스토리 속 숨어 있는 문법 학습
- 다양한 학습 능력을 활용한 문제 구성

Reading Mentor Joy 스토리 소개

Syllabus

Reading Mentor Joy는 총 3권으로 구성되어 있습니다. 각 권은 총 6개의 Chapter와 18개의 Unit으로 총 8주의 학습 시간으로 구성되어 있습니다. 따라서 Reading Mentor Joy는 24주의 학습시간으로 구성되어 있고, 각 권마다 워크북을 제공하여 학습 효율을 높이고자 하였습니다.

Month	Week	Book 1	Unit	Contents	Grammar Time
1	1st	Chapter 1 School Life	1	My Class	many, much, a lot of의 쓰임
			2	School Life	wherer과 what의 의미와 쓰임
			3	School Sports Day	like의 의미와 쓰임
	2nd	Chapter 2 Jobs	1	Future Dreams	사람을 의미하는 접미사
			2	Future Job	2개의 단어로 이루어진 동사
	3rd		3	Mr. Jason	시간을 나타내는 전치사
		Chapter 3 Landmarks	1	The Big Bookstore	[How+형용사 ~?]의 쓰임
	4th		2	The Stature of Liberty	대문자를 써야 하는 경우
			3	The Eiffel Tower	최상급의 의미와 쓰임
2	1st	Chapter 4 Transportation	1	By Subway	동명사와 진행형의 의미와 구분
			2	Kinds of Transportation	[What+명사 ~?]의 쓰임
			3	Safety Rules	when과 while의 의미와 쓰임
	2nd	Chapter 5 Activities	1	Paper Airplanes	대명사 it과 they의 의미와 쓰임
			2	Skateboarding	[How+형용사 ~?]에 대한 대답
	3rd		3	Having a Hobby	[to+동사원형]의 의미와 쓰임
		Chapter 6 Music	1	Irene's dream	[동사+동명사]의 쓰임
	4th		2	Musical Instruments	부사의 쓰임과 위치
			3	The School Band	up과 down이 들어간 표현

Month	Week	Book 2	Unit	Contents	Grammar Time
3	1st	Chapter 1 Science	1	Dragonflies	about의 의미와 쓰임
			2	Birds, Mammals, and Insects	형용사와 부사의 형태가 같은 단어들
			3	Facts About Our Teeth	비교급과 최상급
	2nd	Chapter 2 Special Days	1	Halloween	most의 의미와 쓰임
			2	Parents' Day	현재진행형의 의미와 쓰임
	3rd		3	My First Day	조동사 can
		Chapter 3 Food	1	Making Pizza	be going to의 의미와 쓰임

Month	Week	Book2	Unit	Contents	Grammar Time
3	4th	Chapter 3 **Food**	2	Energy from Food	조동사 can의 의문문
			3	Bibimbap	최상급 표현 이해하기
4	1st	Chapter 4 **Music and Musicians**	1	School Choir	전치사 with의 의미와 쓰임
			2	My Favorite Music	so의 의미와 쓰임
			3	Mozart	could의 의미와 쓰임
	2nd	Chapter 5 **Cultures and Customs**	1	Food Culture	have to의 의미와 쓰임
			2	Traditional Clothes	일반동사의 의문문
	3rd		3	Trip to Hong Kong	[Do/Does ~?] 의문문에 대한 대답
		Chapter 6 **Places**	1	Museum	다의어 알아보기
	4th		2	Korea	소유격의 의미와 쓰임
			3	Hotel	부정을 나타내는 단어

Month	Week	Book 3	Unit	Contents	Grammar Time
5	1st	Chapter 1 **Health**	1	Healthy Teeth	접속사 and와 or의 의미와 쓰임
			2	Drinking Water	should의 의미와 쓰임
			3	Regular Exercise	get의 의미와 쓰임
	2nd	Chapter 2 **Wishes**	1	My Wishes	would like to의 의미와 쓰임
			2	An Artist	would like to와 want to의 차이
	3rd		3	Christmas Wishes	동사 send/give의 쓰임
		Chapter 3 **Nature**	1	Deserts	no와 not의 차이
	4th		2	The Sun	비교급 만들기
			3	Polar Bears	as ~ as 비교급
6	1st	Chapter 4 **Historical Figures**	1	Barack Obama	during과 for의 의미와 쓰임
			2	First Man on the Moon	million의 의미와 쓰임
			3	Alfred Nobel	일반동사의 과거형 - 불규칙
	2nd	Chapter 5 **Earth**	1	Asia	명사를 뒤에서 수식하는 경우
			2	The Earth	take의 여러 가지 의미
	3rd		3	Save the Earth	[so that 주어+can ~]의 의미
		Chapter 6 **Stories**	1	The Greedy Dog	셀 수 없는 명사 수 나타내기
	4th		2	The Rabbit and the Turtle	일반동사 과거 부정문 만들기
			3	A Fable	일반동사 과거형의 의문문

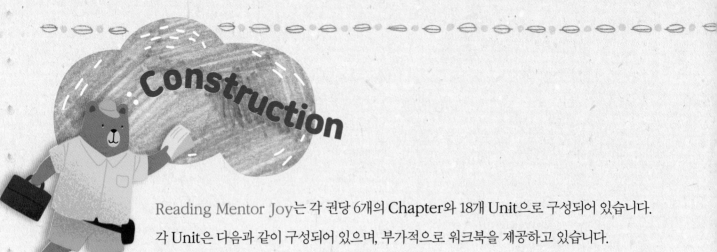

Construction

Reading Mentor Joy는 각 권당 6개의 Chapter와 18개 Unit으로 구성되어 있습니다.

각 Unit은 다음과 같이 구성되어 있으며, 부가적으로 워크북을 제공하고 있습니다.

또한 Reading Passage 및 어휘를 녹음한 오디오 파일을 제공하여 생생한 영어 읽기 학습이

되도록 하였습니다.

Reading Passage

각 Chapter마다 3개의 Reading Passage가 있습니다.
수준별 다양한 주제의 이야기들을 읽어보세요. 색감이 풍
부한 삽화가 이야기를 더욱 생생하게 느끼게 해줍니다.
또한 음원을 통해서 원어민의 발음으로 직접 들어 보세요.

Reading Check

앞에서 읽은 재미난 이야기를 잘 이해했는지
문제 풀이를 통해서 확인해 보세요.

Word Check

Reading Passage에 등장하는 어휘들을 문제를
통해서 쓰임을 알아보세요. 어휘를 보다 폭넓게
이해할 수 있고 쉽게 암기할 수 있습니다.

Grammar Time

Reading Passage에서 모르고 지나쳤던 문법 사항을 확인해 보세요. 문장을 확실하게 이해할 수 있습니다.

Review Test

각 Chapter가 끝나면 앞에서 배운 3개의 Reading Passage와 어휘, 문법 등에 대한 총괄적인 문제를 풀어볼 수 있습니다. 배운 내용을 다시 한 번 복습할 수 있는 기회가 됩니다.

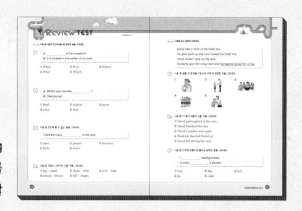

Word Master

다음 Chapter로 넘어가기 전에 잠깐 쉬어 가세요! 어휘는 모든 읽기의 기본입니다. 부담 갖지 마시고 앞에서 배운 단어를 한 번 더 써보고 연습해 보세요.

Answers

정답을 맞춰 보고, 해석과 해설을 통해서 놓친 부분들도 함께 확인해 보세요.

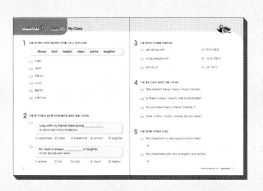

Workbook

별도로 제공되는 워크북은 각 Unit마다 배운 내용을 스스로 풀어보고 연습할 수 있도록 구성했습니다. 스스로 학습할 수 있는 기회로 삼아 보세요.

Contents

Chapter 1

School Life

UNIT 1 — My Class

TR 4-01

My school has a big playground.

I play with my friends there during breaktime.

My school has a library.

We can _____ books at the library.

There are many teachers at my school.

They are very kind and helpful.

We love our teachers.

My classroom is very spacious and clean.

There are 20 students in my class.

My classmates are very energetic and active.

I get along with my classmates.

My class is always full of laughter.

I love my class very much.

1 다음 중 이 글의 내용과 <u>다른</u> 것을 고르세요.

① 학교에 커다란 운동장이 있다.   ② 휴식시간에 교실에서 친구들과 논다.

③ 학교에 도서관이 있다.   ④ 교실은 넓고 깨끗하다.

⑤ 글쓴이는 급우들과 잘 지낸다.

2 다음 중 이 글의 빈칸에 들어갈 알맞은 말을 고르세요.

① give   ② borrow   ③ clean

④ keep   ⑤ buy

3 다음 중 보기의 내용과 일치하는 그림을 고르세요.

> My class is always full of laughter.

①    ②    ③

④    ⑤

4 다음 대화의 빈칸에 알맞은 말을 쓰세요.

> **A** How many students are there in your class?
>
> **B** _____ in my class.

WORDS

☐ **playground** 운동장   ☐ **during** ~ 동안   ☐ **breaktime** 쉬는 시간   ☐ **library** 도서관

☐ **helpful** 도움이 되는   ☐ **spacious** 넓은   ☐ **classmate** 반 친구   ☐ **energetic** 활기찬

☐ **active** 활동적인   ☐ **laughter** 웃음소리

1 다음 중 학교와 관련 없는 단어를 고르세요.

① breaktime   ② playground   ③ classroom

④ ticket   ⑤ library

2 다음 중 보기의 설명에 해당하는 단어를 고르세요.

> We can borrow books here.

① museum   ② gym   ③ classroom

④ theater   ⑤ library

3 다음 중 밑줄 친 것과 비슷한 단어를 고르세요.

> My classroom is very spacious and clean.

① full   ② big   ③ expensive

④ kind   ⑤ careful

4 다음 단어의 뜻을 바르게 연결하세요.

(1) clean   •

(2) breaktime   •

(3) classmates   •

   • A. students in the same class

   • B. a period of rest

   • C. not dirty

GRAMMAR TIME

many, much, a lot of의 쓰임

1 many와 much는 주로 부정문과 의문문에 사용합니다.

2 평서문에서는 a lot of가 훨씬 더 많이 쓰입니다.

3 many는 There is/are ~. 형태의 문장이나 so, too 뒤에 자주 쓰입니다.
   You made **too many** mistakes. 너는 너무 많은 실수를 했다.

many+복수명사	I don't have **many friends**. 나는 친구가 많이 없다. Do you have **many books**? 너는 책이 많이 있니?
much+셀 수 없는 명사	I don't have **much free time**. 나는 여가 시간이 많이 없다. Do you have **much free time**? 너는 여가 시간이 많니?
a lot of+복수명사, 셀 수 없는 명사	There are **a lot of bones** in this fish. 이 생선은 뼈가 많다. She has **a lot of money**. 그녀는 돈이 많다.

---

1 다음 중 빈칸에 올 수 <u>없는</u> 것을 고르세요.

> I don't have many _____.

① books   ② coins   ③ tickets

④ money   ⑤ friends

---

2 다음 괄호 안에서 알맞은 것을 고르세요.

(1) She doesn't have (many / much) pencils.

(2) Is there (many / much) water in the bottle?

TR 4-02

How do you go to school?

I walk to school every day.

Where is your school located?

My school is located in the center of my town.

What do you learn in school?

I learn math, English, science, music, and art.

I also learn values and manners.

What's your _____ subject?

I like music and art.

Do you like math?

No, I don't like math.

I'm really bad at it.

Do you like to go to school?

Yes, I do. I enjoy going to school.

1 다음 중 보기의 문장과 의미가 같은 것을 고르세요.

> I walk to school every day.

① I go to school on foot.　　② I go to school by bike.

③ I go to school by car.　　④ I go to school by subway.

⑤ My dad gives me a ride to school.

2 다음 중 이 글에서 언급하지 <u>않은</u> 것을 고르세요.

① the subject I don't like　　② the subject I like

③ school location　　④ after-school activities

⑤ the subjects I learn in school

3 다음 중 이 글의 빈칸에 들어갈 알맞은 말을 고르세요.

① like　　② favorite　　③ active

④ pretty　　⑤ colorful

4 다음 중 글쓴이가 언급하지 <u>않은</u> 과목을 고르세요.

①

English

②

music

③

art

④

science

⑤

P.E.

WORDS

☐ **every day** 매일　☐ **locate** 위치하다　☐ **center** 중심　☐ **town** 마을　☐ **learn** 배우다

☐ **art** 미술　☐ **also** 역시, 또한　☐ **value** 가치　☐ **manner** 예의범절　☐ **subject** 과목

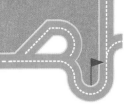

1 다음 중 보기 대답에 알맞은 질문을 고르세요.

> I go to school by bus every day.

① Where is your school located?
② How do you go to school?
③ What do you learn in your school?
④ Do you like science?
⑤ Do you like to go to school?

2 다음 중 대화의 빈칸에 알맞지 <u>않은</u> 말을 고르세요.

> A What's your favorite subject?
> B I like _____.

① music   ② science   ③ English
④ P.E.   ⑤ soccer

3 다음 중 보기의 밑줄 친 단어의 반대말을 고르세요.

> I'm really <u>bad</u> at math.

① poor   ② good   ③ short
④ round   ⑤ big

4 다음 중 보기의 설명에 해당하는 단어를 고르세요.

> sounds made by musical instruments and voices

① history   ② music   ③ math
④ computer   ⑤ science

GRAMMAR TIME

where과 what의 의미와 쓰임

1 where은 '어디에', '어디로', '어디에서'라는 의미를 가지고 있으며, 의문사 역할을 할 때에는 문장 맨 앞에 와서 의문문을 만듭니다.

2 where로 질문을 하면, 장소에 관련된 대답을 해야 합니다.

   A **Where** do you live? 넌 어디에 사니?

   B I live in Ulsan. 난 울산에 살아.

3 what은 '무엇', '어떤 것' 등의 의미를 가지고 있으며, 의문사 역할을 할 때에는 문장 맨 앞에 와서 의문문을 만듭니다.

   A **What** is your name? 너의 이름이 뭐니?

   B I'm Alice. 나는 앨리스야.

4 where나 what으로 물으면, yes나 no로 대답할 수 없습니다.

1

다음 대화의 빈칸에 알맞은 말을 쓰세요.

> A _____ did you stay last night?
>
> B I stayed at my cousin's house.

2

다음 우리말과 같도록 빈칸에 What이나 Where를 쓰세요.

(1) _____ are you doing now?

너는 지금 무엇을 하고 있니?

(2) _____ are you going now?

너는 지금 어디에 가고 있니?

(3) _____ do you learn in school?

너는 학교에서 무엇을 배우니?

(4) _____ is your favorite subject?

네가 좋아하는 과목이 뭐니?

Today is sports day.

There are many events like races, basketball, and tug of war.

A lot of students take part in the competitions.

David participates in a running event.

He stands at the starting line.

He shoots forward at the starting signal.

He is running in first place.

Oh, no! He falls in front of the finish line.

He gets back up and runs toward the finish line.

David doesn't give up the race.

Students give him a big hand and his teacher gives him a hug.

TR 4-03

1 다음 중 이 글의 내용과 일치하지 <u>않는</u> 것을 고르세요.

① 오늘은 학교 운동회다.　　　　② 학생들이 많은 경기에 참여한다.

③ 줄다리기 시합도 있다.　　　　④ David는 달리기 시합에서 1등을 했다.

⑤ David는 결승선을 통과하기 전에 넘어졌다.

2 이 글에서 밑줄 친 **take part in**과 의미가 같은 단어를 찾아 쓰세요. (동사원형으로)

_____

3 다음 중 빈칸에 들어갈 알맞은 말을 고르세요.

> David's teacher is _____ of David.

① proud　　　　② sad　　　　③ afraid

④ excited　　　　⑤ boring

4 이 글에서 학생들이 David에게 박수를 보낸 이유를 이 글에서 쓴 단어로 쓰세요.

> He didn't _____ the race.

WORDS

□ **sports day** 운동회　□ **event** 경기　□ **take part in** ~에 참여하다　□ **competition** 대회

□ **participate** 참가하다　□ **shoot forward** 쏜살같이 앞으로 나가다　□ **signal** 신호　□ **fall** 넘어지다

□ **in front of** ~의 앞에　□ **toward** ~을 향해　□ **give up** 포기하다　□ **hug** 포옹

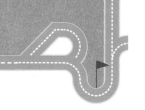

1 다음 영어와 그림을 연결하세요.

(1) finish line   (2) a big hand   (3) hug

A.    B.    C.

2 다음 중 그림을 보고 빈칸에 들어갈 알맞은 말을 고르세요.

They are sitting _____ the TV.

① in front of   ② between   ③ inside
④ on   ⑤ next to

3 다음 중 school sports day와 관련 <u>없는</u> 말을 고르세요.

① tug of war   ② running event   ③ first place
④ hug   ⑤ starting line

4 다음 단어의 뜻을 바르게 연결하세요.

(1) student   •   • A. a person studying at school

(2) sports   •   • B. to put your arms around someone

(3) hug   •   • C. games such as football and basketball

GRAMMAR TIME

like의 의미와 쓰임

1 like는 동사로 쓰여 '~을 좋아하다', '마음에 들어 하다' 등의 의미를 가지고 있습니다.

2 like는 전치사로 쓰여 '(예를 들어) ~ 같은', '~처럼' 등의 의미를 가지고 있습니다.
- look like ~가 일어날 듯하다, ~할 징조를 나타내다, ~처럼 보이다
- feel like ~하고 싶다

like - 동사	I **like** her. 나는 그녀를 좋아한다. She **likes** to take a walk in the morning. 그녀는 아침에 산책하는 것을 좋아한다.
like - 전치사	We need vegetables **like** broccoli and carrots. 우리는 브로콜리와 당근 같은 야채가 필요하다. It **looks like** it will rain. 비가 올 것 같다. I **feel like** a snack. 나는 간식이 먹고 싶다.

1 다음 우리말과 같도록 보기의 단어를 이용하여 빈칸에 알맞은 말을 쓰세요.

like(s)	look(s) like	feel(s) like

(1) He _____ a good man.

그는 좋은 남자인 거 같다.

(2) They _____ to go camping.

그들은 캠핑 가는 것을 좋아한다.

(3) I don't _____ talking right now.

나는 지금 말할 기분이 아니다.

(4) It _____ a shower.

소나기가 쏟아질 것 같다.

(5) We need some food _____ pizza or hamburgers.

우리는 피자와 햄버거 같은 음식이 좀 필요하다.

[01-02] 다음 중 대화의 빈칸에 들어갈 알맞은 말을 고르세요.

01

A _____ is the museum?

B It is located in the center of my town.

① When   ② How   ③ Where

④ What   ⑤ Which

02

A What's your favorite _____ ?

B I like soccer.

① food   ② subject   ③ sport

④ color   ⑤ fruit

03 다음 중 빈칸에 올 수 없는 말을 고르세요.

There are many _____ in the park.

① trees   ② people   ③ benches

④ birds   ⑤ water

04 다음 중 연결이 나머지와 다른 것을 고르세요.

① big – small   ② clean – dirty   ③ love – hate

④ school – library   ⑤ full – empty

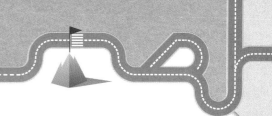

[05-06] 다음을 읽고 질문에 답하세요.

> David falls in front of the finish line.
>
> He gets back up and runs toward the finish line.
>
> David doesn't give up the race.
>
> Students give him a big hand and <u>his teacher gives him a hug.</u>

05 다음 중 밑줄 친 문장을 그림으로 바르게 표현한 것을 고르세요.

① 　② 　③

④ 　⑤

06 다음 중 이 글의 내용과 <u>다른</u> 것을 고르세요.

① David participated in the race.

② David finished the race.

③ David's teacher was upset.

④ Students cheered David up.

⑤ David fell during the race.

07 다음 중 빈칸에 공통으로 들어갈 알맞은 말을 고르세요.

> · I ＿＿＿＿＿ reading books.
>
> · It looks ＿＿＿＿＿ a shower.

① love　　　② like　　　③ feel

④ go　　　⑤ come

[08-09] 다음 중 보기의 설명에 해당하는 단어를 고르세요.

08 students in the same class

① teachers   ② books   ③ classmates
④ desks   ⑤ classroom

09 a place with many streets and buildings

① school   ② town   ③ library
④ mountain   ⑤ hotel

10 다음 중 보기 대답에 알맞은 질문을 고르세요.

I walk to school every day.

① How do you go to school?
② Where is your school?
③ Do you like math?
④ What's your favorite subject?
⑤ Do you like to go to school?

11 다음 중 빈칸에 들어갈 수 <u>없는</u> 말을 고르세요.

My classmates are _____.

① kind   ② energetic   ③ diligent
④ friendly   ⑤ event

12 다음 보기에서 빈칸에 알맞은 말을 골라 쓰세요.

| always | science | competition |

(1) She won first prize in the _____.

(2) My favorite subject is _____.

(3) She _____ arrives at 7:30.

13 다음 대화의 밑줄 친 it이 의미하는 것을 영어로 쓰세요.

A Do you like math?

B No, I don't like math. I'm really bad at it.

_____

14 다음 대화의 빈칸에 알맞은 말을 쓰세요.

A _____ do you live?

B I live in Seoul.

_____

15 다음 우리말과 같도록 빈칸에 공통으로 알맞은 말을 쓰세요.

· I have _____ money. 나는 돈이 많다.

· There are _____ people in the gym. 체육관에 사람이 많다.

WORD MASTER

다음 단어의 뜻을 쓰고, 단어를 세 번씩 더 써보세요.

01	**playground**	운동장	playground	playground	playground
02	**active**				
03	**breaktime**				
04	**center**				
05	**classmate**				
06	**competition**				
07	**during**				
08	**energetic**				
09	**event**				
10	**laughter**				
11	**manner**				
12	**participate**				
13	**signal**				
14	**spacious**				
15	**subject**				

TR 4-03-W

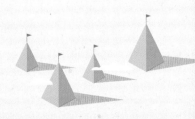

Chapter 2

Jobs

TR 4-04

Julie likes playing the violin.

She practices the violin every day except on Saturdays and Sundays.

She won first prize in the music competition last month.

She wants to be a violinist.

Becoming a violinist is not easy, but she will do her best.

My brother Tony is a high school student.

He wants to be a pharmacist.

He wants to make medicine to cure cancer.

He studies science and math very hard.

It is not easy to be a pharmacist.

I hope he will realize his dream.

1 다음 중 이 글이 무엇에 관한 내용인지 고르세요.

① my brother　　　　② school life

③ musical instruments　　④ favorite subjects

⑤ future dreams

2 다음 중 단어의 연결이 <u>잘못된</u> 것을 고르세요.

① violin – violinist　　② piano – pianist

③ bake – bakist　　　④ tour – tourist

⑤ art – artist

3 다음 중 이 글의 내용과 <u>다른</u> 것을 고르세요.

① Julie practices the violin 5 days a week.

② Julie participated in the music competition last month.

③ Julie is a member of the school orchestra.

④ Tony goes to high school.

⑤ It is not easy to become a pharmacist.

4 다음 중 대화의 빈칸에 알맞은 말을 쓰세요.

> A What does Tony want to be in the future?
>
> B He wants _____.

WORDS

☐ **practice** 연습하다　☐ **except** ~을 제외하고　☐ **violinist** 바이올린 연주자

☐ **do one's best** 최선을 다하다　☐ **pharmacist** 약사　☐ **medicine** 약　☐ **cure** 치료하다

☐ **cancer** 암　☐ **realize** 이루어지다　☐ **dream** 꿈

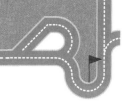

1 다음 중 보기의 밑줄 친 말을 대신할 수 있는 것을 고르세요.

> She practices the violin every day except on <u>Saturdays and Sundays</u>.

① holidays   ② weekends   ③ weekdays
④ school days   ⑤ vacations

2 다음 중 보기가 설명하는 악기를 고르세요.

> This is made of wood and has 4 strings.
> We need a bow to play this.
> We hold this under our chin.

① 피아노   ② 드럼   ③ 첼로
④ 기타   ⑤ 바이올린

3 다음 중 빈칸에 들어갈 알맞은 말을 고르세요.

> I have a stomachache. I need some _____.

① science   ② dream   ③ practice
④ medicine   ⑤ competition

4 다음 단어의 반대말을 이 글에서 찾아 쓰세요.

(1) low   − _____

(2) difficult   − _____

사람을 의미하는 접미사

1 접미사는 단어 끝에 붙어 새로운 의미를 만드는 역할을 합니다. 접미사는 혼자서는 사용할 수 없습니다.

2 접미사 -er, -ist, -or, -ian 등을 단어 뒤에 붙이면 사람을 의미하는 단어로 만들 수 있습니다.

-er 붙는 경우	sing 노래하다	→	singer 가수
	run 달리다	→	runner 달리는 사람
	write 쓰다	→	writer 작가
	play 운동하다, 경기하다	→	player 선수
	dance 춤추다	→	dancer 춤추는 사람
-ist가 붙는 경우	tour 관광	→	tourist 관광객
	violin 바이올린	→	violinist 바이올린 연주자
	science 과학	→	scientist 과학자
	pharmacy 약국	→	pharmacist 약사
-or이 붙는 경우	invent 발명하다	→	inventor 발명가
	visit 방문하다	→	visitor 방문객
	act 연기하다	→	actor 배우
-ian을 붙이는 경우	magic 마술	→	magician 마술사
	music 음악	→	musician 음악가
	technique 기술	→	technician 기술자

1 다음 중 연결이 올바르지 <u>않은</u> 것을 고르세요.

① violin – violinist   ② sing – singer

③ act – acter   ④ music – musician

⑤ invent – inventor

2 다음 괄호 안에서 알맞은 것을 고르세요.

(1) There are many (tours / tourists) in the museum.

(2) She wants to be (music / a musician) when she grows up.

(3) My favorite subject is (science / a scientist).

TR 4-05

John's class visited the fire station last week.

They had a chance to look around the fire station.

The firefighters work day and night.

They wear special clothes to keep them safe from the fire.

They also wear special helmets.

There are fire trucks in the fire station.

Firefighters use special equipment to put out fires.

One of the firefighters let John hold the hose.

The firefighter turned on the hose and the hose went flying out of John's hands.

It was too heavy for him!

After spending the day at the fire station, John really wants to be a firefighter when he grows up!

1 다음 중 이 글의 내용과 <u>다른</u> 것을 고르세요.

① Firefighters wear special clothes when they put out fires.

② The hose was so heavy John couldn't hold it.

③ John's class visited the fire station.

④ John's uncle is a firefighter.

⑤ John wants to be a firefighter when he grows up.

2 다음 중 빈칸에 들어갈 알맞은 말을 고르세요.

> John visited the fire station with his _____.

① brother   ② teacher   ③ family

④ friends   ⑤ classmates

3 다음 중 보기의 영어를 알맞게 표현한 그림을 고르세요.

> The hose went flying out of John's hands.

①    ②    ③   ④    ⑤

4 다음 중 John의 장래희망으로 알맞을 것을 고르세요.

① policeman   ② firefighter   ③ driver

④ musician   ⑤ teacher

WORDS

☐ **visit** 방문하다   ☐ **fire station** 소방서   ☐ **chance** 기회   ☐ **look around** 둘러보다

☐ **day and night** 밤낮   ☐ **special** 특별한   ☐ **safe** 안전한   ☐ **helmet** 헬멧   ☐ **fire truck** 소방차

☐ **equipment** 장비   ☐ **put out** 끄다   ☐ **turn on** 켜다   ☐ **grow up** 자라다

[1-2] 다음 중 빈칸에 들어갈 알맞은 말을 고르세요.

1

It's hot today. _____ the air conditioner.

① Look around   ② Turn on   ③ Get up

④ Put out   ⑤ Go out

2

Firefighters wear special _____ to protect their heads.

① hoses   ② gloves   ③ glasses

④ shoes   ⑤ helmets

3 다음 중 heavy의 반대말을 고르세요.

① light   ② right   ③ large

④ small   ⑤ soft

4 다음 단어의 뜻을 알맞게 연결하세요.

(1) night   •   • A. a long tube made of rubber

(2) clothes   •   • B. after sunset

(3) hose   •   • C. shirts, coats, trousers, and dresses

GRAMMAR TIME

2개의 단어로 이루어진 동사

영어에는 2개의 단어로 이루어진 표현들이 있습니다. 이러한 표현들은 반드시 외워야 합니다.

turn on 켜지다, 작동하다	**put out** (불을) 끄다
turn off 끄다, 잠그다	**give up** 포기하다
look around 돌아보다, 주의를 둘러보다	**look at** ~을 보다
grow up 성장하다	**wait for** ~을 기다리다
put on ~을 입다, 쓰다	**think of** ~을 생각하다
pick up ~을 줍다	**look after** ~을 돌보다

1 다음 중 대화의 빈칸에 들어갈 알맞은 말을 고르세요.

> A What do you _____ of my new hair style?
>
> B It looks good.

① look   ② put   ③ pick

④ take   ⑤ think

2 다음 괄호 안에서 알맞은 것을 고르세요.

(1) The firefighters quickly (put out / put on) the fire.

(2) (Turn off / Look after) the light when you go out.

(3) Let's (grow up / wait for) the next bus to school.

TR 4-06

Mr. Jason is a bus driver.

He has been driving a bus for 20 years.

He drives a bus for 8 hours every day.

He shuttles passengers back and forth from the airport to hotels around downtown.

Passengers like Mr. Jason because he's kind and drives carefully.

It is 8:00 a.m.

He is going to the airport now.

There is _____ traffic on the road.

Mr. Jason likes his job, but he doesn't like heavy traffic.

He hopes more people use public transportation

such as buses and subways.

READING CHECK

1 다음 중 이 글의 내용과 같으면 T에 동그라미를, 다르면 F에 동그라미 하세요.

(1) Mr. Jason is a careful driver.   T   F

(2) Mr. Jason always uses public transportation.   T   F

(3) Mr. Jason is driving a bus to the airport now.   T   F

2 다음 중 이 글의 빈칸에 들어갈 알맞은 말을 고르세요.

① a few   ② little   ③ small

④ a lot of   ⑤ so

3 다음 중 이 글에서 언급한 **public transportation**을 고르세요.

①    ②    ③

④   ⑤

4 다음 중 대화의 빈칸에 알맞은 말을 쓰세요.

> **A** Why do passengers like Mr. Jason?
>
> **B** He is _____.

WORDS

□ **every day** 매일　□ **shuttle** 실어 나르다　□ **passenger** 승객　□ **airport** 공항　□ **downtown** 시내

□ **carefully** 조심스럽게　□ **traffic** 교통, 차량　□ **public transportation** 대중교통　□ **subway** 지하철

1 다음 중 빈칸에 알맞은 말을 고르세요.

There were so many cars on the _____ .

① bus   ② subway   ③ airport
④ road   ⑤ taxi

[2-3] 다음 중 우리말과 같도록 빈칸에 들어갈 알맞은 말을 고르세요.

2

I waited for the school bus _____ 20 minutes.
나는 20분 동안 통학 버스를 기다렸다.

① in   ② for   ③ during
④ to   ⑤ on

3

I missed the train _____ I got up late.
나는 늦게 일어나서 기차를 놓쳤다.

① so   ② when   ③ because
④ why   ⑤ if

4 다음 중 보기의 설명에 해당하는 단어를 고르세요.

an underground railway

① subway   ② plane   ③ boat
④ taxi   ⑤ bus

GRAMMAR TIME

시간을 나타내는 전치사

1 전치사는 명사나 대명사 앞에 쓰이며, 시간을 나타내는 전치사 다음에는 시간과 관련된 명사나 대명사가 옵니다.

2 시간을 나타내는 전치사는 '~에', '~ 동안', '~까지' 등의 의미를 가지고 있습니다.

3 시간을 나타내는 전치사

for (~하는 동안)	수치 앞에 사용합니다.	**for** 3 years 3년 동안
during (~하는 동안)	특정 기간 앞에 사용합니다.	**during** the break 휴식 동안
at (~에)	구체적인 시각이나 특정 시간 앞에 사용합니다.	**at** 7:30 7시 30분에 **at** noon 정오에
in (~에)	연도, 월, 아침, 점심, 저녁 앞에 사용합니다.	**in** 2005 2005년에 **in** April 4월에 **in** the morning 아침에
on (~에)	요일 앞에 사용합니다.	**on** Monday 월요일에

1 다음 빈칸에 알맞은 전치사를 쓰세요.

(1) We have breakfast _____ 8:30.

(2) They play baseball _____ Saturday.

(3) I read books _____ night.

(4) He was born _____ 2011.

(5) I get up early _____ the morning.

(6) It is very hot _____ August.

(7) I had a lot of fun _____ the vacation.

Answers p. 7

01 다음 중 단어의 연결이 올바르지 <u>않은</u> 것을 고르세요.

① sing – singer   ② violin – violinist

③ write – writer   ④ science – sciencer

⑤ run – runner

[02-03] 다음 중 우리말과 같도록 빈칸에 들어갈 알맞은 말을 고르세요.

02　　Please _____ the light when you go out.

나갈 때 불을 꺼주세요.

① turn on   ② turn off   ③ grow up

④ look at   ⑤ put on

03　　Could you _____ the pencil for me?

연필 좀 집어줄래?

① turn on   ② give up   ③ pick up

④ look at   ⑤ put on

04 다음 중 빈칸에 들어갈 말이 바르게 짝지어진 것을 고르세요.

· We have dinner _____ 7 o'clock.

· I have piano lessons _____ Sunday.

① at – on   ② at – in   ③ at – at

④ during – on   ⑤ in – on

[05-06] 다음을 읽고 질문에 답하세요.

Julie likes playing the violin.

She practices the violin every day except on Saturdays and Sundays.

She won first prize in the music competition last month.

She wants to be a violinist.

Becoming a violinist is not easy, but she will do her best.

05 다음 중 이 글의 내용과 <u>다른</u> 것을 고르세요.

① Julie likes to play the violin.

② Julie practices the violin 5 days a week.

③ Julie is good at playing the violin.

④ Julie will try her best to make her dream come true.

⑤ Julie is going to participate in the music competition next week.

06 다음 중 밑줄 친 문장과 의미가 같은 것을 고르세요.

① She practices the violin every weekend.

② She practices the violin all day long.

③ She doesn't practice the violin on the weekends.

④ She doesn't practice the violin during the week.

⑤ She practices the violin 7 days a week.

07 다음 중 빈칸에 공통으로 들어갈 알맞은 말을 고르세요.

- Tony is waiting _____ the elevator.
- He drives a bus _____ 8 hours every day.

① to   ② for   ③ at

④ up   ⑤ in

08
> a hat made of a strong material

① glove   ② helmet   ③ computer
④ socks   ⑤ coat

09
> a large motor vehicle for passengers

① bike   ② school   ③ book
④ bus   ⑤ lamp

10 다음 중 빈칸에 들어갈 알맞은 말을 고르세요.

> Please don't talk _____ class.

① on   ② of   ③ to
④ at   ⑤ during

11 다음 중 그림을 보고 빈칸에 들어갈 알맞은 말을 고르세요.

> There is _____ on the road.

① heavy rain   ② heavy clouds
③ heavy traffic   ④ small vehicles
⑤ public transportation

12 다음 보기에서 빈칸에 알맞은 말을 골라 쓰세요.

> medicine　　　　day and night　　　　carefully

(1) Please listen _____ .

(2) This is _____ for your headache.

(3) I study English _____ .

13 다음 밑줄 친 it이 의미하는 것을 영어로 쓰세요.

> The firefighter turned on the hose and the hose went flying out of John's hands.
> It was too heavy for him.

_____

14 다음 빈칸에 알맞은 말을 쓰세요.

> It's hot today. Let's turn _____ the air conditioner.

_____

15 다음 주어진 단어에 -er, -ist, -or, -ian를 붙여 사람을 의미하는 단어로 쓰세요.

(1) technique　–　_____

(2) drive　–　_____

(3) tour　–　_____

(4) visit　–　_____

다음 단어의 뜻을 쓰고, 단어를 세 번씩 더 써보세요.

01	**airport**	공항	airport	airport	airport
02	**cancer**				
03	**cure**				
04	**downtown**				
05	**dream**				
06	**equipment**				
07	**medicine**				
08	**passenger**				
09	**pharmacist**				
10	**practice**				
11	**realize**				
12	**safe**				
13	**shuttle**				
14	**special**				
15	**subway**				

Chapter 3

Landmarks

TR 4-07

 Hi, Mike.

 Hi, Jimin. Where are you calling from now?

 I'm at Sunny Station. I just got off the subway.

 Do you know where my office is?

 No, I don't. This is my first visit.

Are there any landmarks around your office?

 There is a big bookstore next to my office.

 How far is it?

 It's not that far.

It's a five-minute walk from the subway station.

 Okay. I'll call you again when I get to the bookstore.

READING CHECK

1 다음 질문에 Yes나 No로 대답하세요.

(1) Did Jimin use the subway?   Yes   No

(2) Did Jimin visit Mike's office before?   Yes   No

(3) Does Mike work at a bookstore?   Yes   No

(4) Is Mike's office next to the station?   Yes   No

2 다음 중 현재 Jimin이 있는 곳으로 알맞은 곳을 고르세요.

①    ②    ③

④    ⑤

3 다음 우리말과 같도록 빈칸에 들어갈 말을 이 글에서 찾아 쓰세요.

> He _____ the bus 5 minutes ago.
>
> 그는 5분 전에 버스에서 내렸다.

4 다음 중 대화의 빈칸에 알맞은 말을 쓰세요.

> A How long does it take from Sunny Station to Mike's office?
>
> B _____ from Sunny Station.

WORDS

☐ **bookstore** 서점   ☐ **call** 전화하다   ☐ **get off** 내리다   ☐ **subway** 지하철   ☐ **office** 사무실   ☐ **visit** 방문

☐ **landmark** 랜드마크, 주요 표지물   ☐ **next to** ~ 옆에   ☐ **far** 먼   ☐ **again** 다시   ☐ **get to** ~에 도착하다

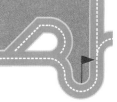
1 다음 중 대화의 빈칸에 들어갈 알맞은 말을 고르세요.

> **A** _____ are you going?
>
> **B** I'm going to the bookstore.

① How   ② When   ③ Where

④ What   ⑤ Who

2 다음 중 그림을 보고 빈칸에 들어갈 알맞은 말을 고르세요.

> There is a cat _____ the box.

① in   ② on   ③ at

④ next to   ⑤ around

3 다음 중 보기의 설명에 해당하는 단어를 고르세요.

> a room or a building where people work

① subway   ② station   ③ office

④ bookstore   ⑤ library

4 다음 단어의 반대말을 이 글에서 찾아 쓰세요.

(1) close – _____

(2) small – _____

GRAMMAR TIME

[How＋형용사 ~ ?]의 쓰임

1 [How＋형용사 ~?]를 이용하여 일상생활에 사용할 수 있는 다양한 질문을 할 수 있습니다.

2 [How＋형용사 ~?]의 쓰임

How old ~ ? (얼마나 나이가 든)	**How old** is she? 그녀는 몇 살이니?
How far ~ ? (얼마나 먼)	**How far** is it from here to your school? 여기서 네 학교까지 얼마나 머니?
How long ~ ? (얼마나 긴)	**How long** is the bridge? 그 다리는 얼마나 기니?
How much ~? (얼마나) How much＋단수명사 ~ ? (얼마나 많은) (셀 수 없는 것을 표현할 때)	**How much** is the car? 그 자동차는 얼마니? **How much** money do you have? 너는 얼마나 많은 돈이 있니?
How many＋복수명사 ~ ? (얼마나 많은) (셀 수 있는 것을 표현할 때)	**How many** books do you have? 너는 얼마나 많은 책이 있니?

1 다음 중 대화의 빈칸에 들어갈 알맞은 말을 고르세요.

> A _____ is the cake?
> B It's 10 dollars.

① How many ② How much ③ How long
④ How old ⑤ How far

2 다음 중 빈칸에 들어갈 수 <u>없는</u> 것을 고르세요.

> How many _____ do you have?

① books ② dogs ③ cars
④ money ⑤ uncles

TR 4-08

The Statue of Liberty is on Liberty Island in New York.

It is a symbol of freedom.

It is a very tall statue of a woman.

The height of the Statue of Liberty is about 93 meters.

Lots of tourists visit the Statue of Liberty.

The Statue of Liberty is green.

The Statue of Liberty is wearing a crown on her head

with 7 spikes on it.

The spikes represent the 7 seas and 7 continents

of the world.

The Statue of Liberty is holding a torch in her right hand.

The Statue of Liberty is one of the most famous landmarks

in New York.

READING CHECK

1 다음 중 이 글의 내용과 같으면 T에 동그라미를, 다르면 F에 동그라미 하세요.

(1) The Statue of Liberty is in New York. T   F

(2) The Statue of Liberty is open for tourists to visit. T   F

(3) The height of the Statue of Liberty is more than 100m. T   F

2 다음 중 The Statue of Liberty에 대해 언급하지 않은 것을 고르세요.

① 위치 　　　　　② 색상 　　　　　③ 입장료

④ 왕관의 모양 　　⑤ 높이

3 다음 중 The Statue of Liberty가 상징하는 것을 고르세요.

① New York 　　　② 7 seas 　　　　③ the world

④ freedom 　　　　⑤ island

4 다음 대화의 빈칸에 알맞은 말을 쓰세요.

> A What is the Statue of Liberty holding in her right hand?
> B It is holding _____.

WORDS

□ **statue** 동상　□ **liberty** 자유　□ **symbol** 상징　□ **freedom** 자유　□ **height** 높이

□ **lots of** 많은　□ **tourist** 관광객　□ **crown** 관, 왕관　□ **spike** 스파이크, 못　□ **represent** 대표하다

□ **continent** 대륙　□ **hold** 들다　□ **torch** 횃불　□ **famous** 유명한

1 다음 중 빈칸에 들어갈 알맞은 말을 고르세요.

> The _____ of the tower is 55 meters.

① tall   ② height   ③ symbol
④ old   ⑤ weight

2 다음 단어의 반대말을 이 글에서 찾아 쓰세요.

(1) low – _____

(2) left – _____

3 다음 중 그림을 보고 빈칸에 들어갈 알맞은 말을 고르세요.

> He's _____ a book in his right hand.

① buying   ② buying   ③ holding
④ opening   ⑤ wearing

4 다음 보기의 설명에 해당하는 신체부위를 영어로 쓰세요.

> It is the top part of your body.
> It is the part with your eyes, nose, and hair on it.

_____

GRAMMAR TIME

대문자를 써야 하는 경우

1 문장의 첫 글자는 대문자를 사용합니다.

My sister is very tall. 나의 누나는 키가 매우 크다.

2 인칭대명사 'I(나는)'는 반드시 대문자로 씁니다.

She and **I** go to school by bus. 그녀와 나는 버스로 학교에 간다.

3 월, 일, 공휴일은 반드시 대문자로 시작합니다.

Monday 월요일   **O**ctober 10월   **C**hristmas 크리스마스

They play baseball on **S**aturday. 그들은 토요일에 야구를 한다.

I was born in **M**arch. 나는 3월에 태어났다.

4 나라 이름, 도시 이름, 사람 이름, 건물 이름 등은 대문자로 시작합니다.

China 중국   **C**anada 캐나다   **S**eoul 서울

Alice 앨리스   **E**mpire **S**tate **B**uilding 엠파이어 스테이트 빌딩

I live in **K**orea. 나는 한국에 산다.

She loves his brother, **K**evin. 그녀는 그의 오빠 케빈을 사랑한다.

5 각 나라의 언어도 대문자로 시작합니다.

Korean 한국어   **E**nglish 영어   **F**rench 프랑스어   **C**hinese 중국어

I can speak **C**hinese. 나는 중국어로 말할 수 있다.

---

1 다음 중 빈칸에 들어갈 수 없는 것을 고르세요.

> Can you speak _____ ?

① English   ② Chinese   ③ Japanese

④ Korea   ⑤ French

2 다음 밑줄 친 부분을 바르게 고치세요.

(1) kevin and I were born in april.   _____

(2) We study english on Monday and thursday.   _____

(3) We have dinner together on christmas.   _____

TR 4-09

Today we're going to learn about the Eiffel Tower.

The Eiffel Tower is in Paris.

Paris is the capital of France.

The Eiffel Tower is the tallest building in Paris.

The Eiffel Tower is about 300 meters tall.

The Eiffel Tower has an elevator. (a)

The elevator brings people to the top level of the tower. (b)

The Eiffel Tower is made of iron and it looks like a huge A. (c)

There are 1,665 steps to the top of the Eiffel Tower. (d)

There are over 2,000 light bulbs on the Eiffel Tower. (e)

About 7 million people visit the Eiffel Tower every year.

The Eiffel Tower is a must-visit place.

1 다음 중 이 글의 내용과 <u>다른</u> 것을 고르세요.

① Many people visit the Eiffel Tower every year.
② Paris is the capital of France.
③ The height of the Eiffel Tower is about 300 meters.
④ The Eiffel Tower is made of stones.
⑤ There is an elevator in the Eiffel Tower.

2 다음 중 The Eiffel Tower에 대해 언급하지 <u>않은</u> 것을 고르세요.

① 위치　　　　　② 색상　　　　　③ 높이
④ 계단 수　　　　⑤ 생김새

3 다음 대화의 빈칸에 알맞은 말을 쓰세요.

> **A** What does the Eiffel Tower look like?
> **B** It looks _____.

4 다음 보기의 문장이 들어가기 적절한 곳을 이 글에서 고르세요.

> So we can see the Eiffel Tower at night.

① (a)　　　　　② (b)　　　　　③ (c)
④ (d)　　　　　⑤ (e)

WORDS

□ **capital** 수도　□ **building** 건물　□ **elevator** 엘리베이터　□ **bring** 데려오다　□ **iron** 철
□ **look like** ~처럼 생기다　□ **huge** 커다란　□ **step** 계단　□ **light bulb** 전구　□ **million** 백만

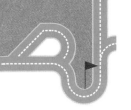

WORD CHECK

[1-2] 다음 중 빈칸에 들어갈 알맞은 말을 고르세요.

1 He climbed up to the _____ of the mountain.

① place   ② step   ③ capital
④ top   ⑤ low

2 The tree is about 5 meters _____.

① much   ② tall   ③ dollars
④ old   ⑤ far

3 다음 보기에서 빈칸에 알맞은 말을 골라 쓰세요.

about	tallest	capital

(1) Sam is the _____ among his brothers.

(2) Seoul is the _____ of Korea.

(3) The turtle is _____ 100 years old.

4 다음 보기의 설명에 해당하는 것을 영어로 쓰세요.

We can see this in buildings.
It carries people up and down inside buildings.
It looks like a box.

58

GRAMMAR TIME

최상급의 의미와 쓰임

1 최상급은 비교를 통해 '가장 ~한' 또는 '제일 ~한'이란 의미를 나타냅니다.

2 최상급은 형용사나 부사 뒤에 -est를 붙여서 만들고, 긴 단어(일부 2음절 또는 3음절 이상) 앞에는 -est 대신에 most를 붙입니다.

원급	비교급	최상급
tall short large	tall**er** ~보다 키가 더 큰 short**er** ~보다 더 작은 larg**er** ~보다 더 큰	tall**est** 가장 키가 큰 short**est** 가장 작은 larg**est** 가장 큰
difficult popular	**more** difficult ~보다 더 어려운 **more** popular ~보다 더 인기 있는	**most** difficult 가장 어려운 **most** popular 가장 인기 있는

3 불규칙 비교급과 최상급

원급	비교급	최상급
good / well 좋은, 잘	**better** 더 좋은, 더 잘	**best** 가장 좋은
bad / ill 나쁜	**worse** 더 나쁜	**worst** 가장 나쁜

1 다음 중 우리말과 같도록 빈칸에 들어갈 알맞은 말을 고르세요.

> Hallasan Mountain is the ＿＿＿＿＿ mountain in Korea.
> 한라산은 한국에서 가장 높은 산이다.

① high   ② more high   ③ highest
④ higher   ⑤ the most highest

2 다음 괄호 안에서 알맞은 것을 고르세요.

(1) March is (warm / warmer) than February.

(2) He is the (stronger / strongest) boy in school.

(3) The tower is the (taller / tallest) building in the city.

(4) This room is (smaller / smallest) than that one.

01 다음 중 비교급과 최상급 연결이 올바르지 <u>않은</u> 것을 고르세요.

① taller – tallest   ② shorter – shortest
③ larger – most large   ④ better – best
⑤ worse – worst

[02-03] 다음 중 빈칸에 들어갈 알맞은 말을 고르세요.

02   How much _____ do you have?

① books   ② coins   ③ caps
④ pencils   ⑤ money

03   A How _____ is she?
      B She's 9 years old.

① many   ② old   ③ long
④ far   ⑤ often

04 다음 중 빈칸에 들어갈 말로 바르게 짝지어진 것을 고르세요.

· That is the _____ bridge in Korea.
· This room is _____ than that one.

① longer – larger   ② longest – larger
③ taller – larger   ④ longer – smaller
⑤ longest – smallest

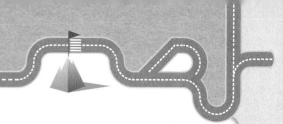

[05-06] 다음을 읽고 질문에 답하세요.

> The Statue of Liberty is on Liberty Island in New York.
> It is a symbol of freedom.
> It is a very tall statue of a woman.
> The height of the Statue of Liberty is about 93 meters.
> The Statue of Liberty is open for tourists.
> The Statue of Liberty is green.
> The Statue of Liberty is one of the most <u>famous</u> landmarks in New York.

05 다음 중 이 글의 내용과 <u>다른</u> 것을 고르세요.

① There is Liberty Island in New York.
② We can visit the Statue of Liberty.
③ The Statue of Liberty is located in New York.
④ The Statue of Liberty is about 93m tall.
⑤ The color of the Statue of Liberty is blue.

06 다음 중 밑줄 친 **famous**와 의미가 같은 것을 고르세요.

① good   ② well-known   ③ beautiful
④ old   ⑤ favorite

07 다음 중 빈칸에 공통으로 들어갈 알맞은 말을 고르세요.

> · How _____ cheese do you need?
> · Thank you very _____.

① good   ② well   ③ much
④ old   ⑤ many

08

a land surrounded by water

① tower   ② crown   ③ island
④ hand   ⑤ office

09

dark grey metal

① tree   ② elevator   ③ iron
④ statue   ⑤ tower

10 다음 중 두 문장의 의미가 같도록 빈칸에 들어갈 알맞은 말을 고르세요.

The Eiffel Tower is about 300 meters tall.
= The _____ of the Eiffel Tower is about 300 meters.

① width   ② weight   ③ high
④ height   ⑤ length

11 다음 중 그림을 보고 빈칸에 들어갈 알맞은 말을 고르세요.

The Statue of Liberty is holding a _____
in her right hand.

① green color   ② candle   ③ crown
④ book   ⑤ torch

12 다음 중 보기 대답에 알맞은 질문을 고르세요.

> About 7 million people visit the Eiffel Tower every year.

① Where is the Eiffel Tower?
② How tall is the Eiffel Tower?
③ How many steps are there in the Eiffel Tower?
④ How many people visit the Eiffel Tower every year?
⑤ What is the Eiffel Tower made of?

13 다음 보기에서 빈칸에 알맞은 말을 골라 쓰세요.

> **top**   **next to**   **office**

(1) The air was so fresh at the ＿＿＿＿＿＿＿ of the mountain.

(2) His ＿＿＿＿＿＿＿ is on the 5th floor.

(3) The sunglasses are ＿＿＿＿＿＿＿ the magazine.

14 다음 그림을 보고 빈칸에 알맞은 말을 쓰세요.

> James is ＿＿＿＿＿＿＿ than Sally. (tall)

＿＿＿＿＿＿＿＿＿＿＿＿＿

James Sally

15 다음 빈칸에 알맞은 말을 쓰세요.

원급	비교급	최상급
good / well	better	(1)
bad / ill	(2)	worst

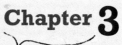

 다음 단어의 뜻을 쓰고, 단어를 세 번씩 더 써보세요.

01 bookstore	서점	bookstore	bookstore	bookstore
02 capital				
03 continent				
04 crown				
05 elevator				
06 famous				
07 freedom				
08 height				
09 hold				
10 million				
11 office				
12 represent				
13 statue				
14 torch				
15 tourist				

Chapter 4

Transportation

TR 4-10

Sara and Ted go to the museum by subway.

There are many people at the subway station.

They buy their tickets at the ticket vending machine.

They take the escalator to go underground.

Sara and Ted wait for the subway _____

the yellow line.

The subway is entering the station.

The subway doors open and they wait for the passengers to get off first.

They get on the subway.

The subway is very crowded and all the seats are taken.

They like traveling by subway because it is a very convenient mode of transportation.

1 다음 중 이 글의 내용과 일치하는 것을 고르세요.

① There aren't many people at the subway station.
② They take the elevator to go underground.
③ All the seats on the subway are taken.
④ Sara and Ted wait for the subway for about 10 minutes.
⑤ Sara and Ted don't like traveling by subway.

2 다음 중 이 글의 빈칸에 들어갈 알맞은 말을 고르세요.

① behind   ② under   ③ between
④ on   ⑤ in

3 다음 밑줄 친 get on의 반대말을 이 글에서 찾아 쓰세요.

_____

4 다음 대화의 빈칸에 알맞은 말을 쓰세요.

A Why do Sara and Ted like traveling by subway?
B The subway _____.

WORDS

☐ **museum** 박물관   ☐ **subway** 지하철   ☐ **station** 역   ☐ **ticket** 표
☐ **vending machine** 자동판매기   ☐ **escalator** 에스컬레이터   ☐ **underground** 지하로, 지하
☐ **passenger** 승객   ☐ **crowded** 붐비는   ☐ **convenient** 편리한   ☐ **mode** 방식

WORD CHECK

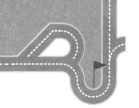

1 다음 중 빈칸에 들어갈 알맞은 말을 고르세요.

> I go to school _____ bus.

① by   ② on   ③ in
④ to   ⑤ at

2 다음 중 그림을 보고 빈칸에 들어갈 알맞은 말을 고르세요.

> The subway is _____ with passengers.

① long   ② empty   ③ covered
④ get   ⑤ crowded

3 다음 보기에서 빈칸에 알맞은 말을 골라 쓰세요.

> **tickets**   **wait for**   **museum**

(1) There are a lot of paintings in the _____.

(2) Let's _____ the next bus to school.

(3) How many _____ do you want?

4 다음 단어의 뜻을 알맞게 연결하세요.

(1) station   •   • A. below the surface of the ground

(2) escalator   •   • B. a place trains stop to pick up passengers

(3) underground   •   • C. a moving staircase

동명사와 진행형의 의미와 구분

1 동명사는 [동사+-ing]의 형태를 취하고 있으며 동사가 아닌 명사의 역할을 합니다.
동명사는 주어, 보어, 목적어 역할을 할 수 있습니다.

I like **singing**. 나는 노래하는 것을 좋아한다. (동명사 – 목적어 역할)

2 [be동사+동사원형+-ing]가 '~하는 것이다'로 해석되면, [동사원형+-ing]는 보어 역할을 하는 동명사입니다.

My job **is setting** the table for dinner. 나의 일은 저녁식사를 차리는 것이다. (보어 역할)

My hobby **is reading** books. 나의 취미는 독서하는 것이다. (보어 역할)

3 [be동사+동사원형+-ing]가 '~하고 있다'로 해석되면 진행형으로 쓰인 것입니다.

I**'m reading** books now. 나는 지금 책을 읽고 있다. (진행형)

---

1 다음 중 밑줄 친 것이 동명사가 <u>아닌</u> 것을 고르세요.

① She suddenly started <u>crying</u>.

② The boys are <u>playing</u> soccer.

③ His hobby is <u>reading</u> books.

④ My job is <u>designing</u> buildings.

⑤ Paul likes <u>drawing</u> cartoons.

2 다음 영어를 우리말로 쓰세요.

(1) Your job is washing the dishes.

_____

(2) He's washing the dishes now.

_____

(3) Telling a lie is bad.

_____

(4) She's telling a lie to him.

_____

TR 4-11

Trains run on railroad tracks.

Trains carry people from one place to another.

Some trains carry goods from one place to another.

Some trains are very fast.

They travel at speeds of 365 *km* per hour.

Airplanes fly in the sky.

Airplanes have wings and one or more engines.

We use airplanes to travel long distances.

Airplanes are the fastest way to make long trips.

Ships move on water.

Some ships transport oil and some ships transport passengers.

Cruise ships are very big and they are called "sea hotels."

They have hundreds of cabins, elevators, and recreation facilities.

What kinds of transportation do you use?

1 다음 중 이 글의 내용과 일치하지 <u>않는</u> 것을 고르세요.

① Some ships transport oil.

② Trains can move on railroad tracks.

③ All airplanes have two engines.

④ Some ships are very big and they have a lot of rooms.

⑤ Some trains travel at speeds of more than 300km per hour.

2 다음 질문에 Yes나 No로 답하세요.

(1) Do trains carry people from one place to another?　　**Yes**　　**No**

(2) Do airplanes have recreation facilities?　　**Yes**　　**No**

3 다음 중 밑줄 친 **They**가 의미하는 것을 고르세요.

① passengers　　② oil　　③ hotels

④ cruise ships　　⑤ cabins

4 다음 대화의 빈칸에 알맞은 말을 쓰세요.

> A What is the fastest mode of transportation?
>
> B It is a(n) _____.

WORDS

□ **railroad track** 철로　□ **carry** 나르다, 옮기다　□ **travel** 여행하다　□ **hour** 1시간　□ **airplane** 비행기

□ **wing** 날개　□ **engine** 엔진　□ **use** 사용하다　□ **distance** 거리　□ **trip** 여행　□ **ship** 배

□ **transport** 수송하다　□ **cruise** 유람선　□ **hundreds of** 수백의　□ **cabin** 객실

□ **recreation** 오락　□ **facility** 시설

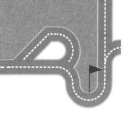

1 다음 중 빈칸에 들어갈 알맞은 말을 고르세요.

> How long does it take _____ here to your school?

① to   ② on   ③ between
④ from   ⑤ at

2 다음 중 그림을 보고 빈칸에 들어갈 알맞은 말을 고르세요.

> The bird has two _____.

① wings   ② wheels   ③ fingers
④ heads   ⑤ engines

3 다음 보기에서 빈칸에 알맞은 말을 골라 쓰세요.

> **elevator**   **water**   **sky**

(1) Could I have some _____, please?

(2) The sun is high up in the _____.

(3) The building has no _____.

4 다음 단어의 뜻을 바르게 연결하세요.

(1) trip   •

               • A. a vehicle flying through the air

(2) hotel   •

               • B. traveling from one place to another

(3) airplane   •

               • C. a building that has many rooms

GRAMMAR TIME

[What+명사 ~?]의 쓰임

1 [What+명사 ~ ?]는 구체적인 정보를 물을 때 사용합니다.

2 의문사 What으로 질문하면 Yes나 No로 대답할 수 없습니다.

A **What** animals do you want to see at the zoo? 동물원에서 어떤 동물을 보고 싶니?

B I want to see the zebras. 나는 얼룩말이 보고 싶어.

A **What** music are you playing? 너는 어떤 음악을 연주하고 있니?

B I'm playing Mozart's music. 나는 모차르트 음악을 연주하고 있어.

---

1 다음 우리말과 같도록 보기에서 빈칸에 알맞은 말을 골라 쓰세요.

What sport	What mountain	What music

(1) _____ do you like to listen to?

너는 어떤 음악 듣는 것을 좋아하니?

(2) _____ do you like best?

너는 어떤 스포츠를 가장 좋아하니?

(3) _____ do you want to climb?

너는 어떤 산을 올라가고 싶니?

---

2 다음 중 보기 대답에 알맞은 질문을 고르세요.

I'd like to have pizza.

① What music are you playing?

② What are you eating now?

③ What fruit do you like?

④ What kind of pizza do you want?

⑤ What kind of food would you like to have?

TR 4-12

Let's learn the safety rules.

Cross the street when the traffic light turns green.

Look both ways when you cross the street.

Don't cross the street when the traffic light turns red.

Never cross the road when vehicles are passing by.

It may lead to a serious accident.

Don't use your mobile phone while walking or riding any vehicles.

Don't put your hands out the window of a moving vehicle.

Always use the sidewalk.

Wear a helmet when you ride a bike.

It protects you from injury.

The safe way is the best way.

1 다음 중 이 글에서 언급하지 <u>않은</u> 내용을 고르세요.

① 길을 건널 때 지켜야 할 규칙
② 자동차에 있을 때 지켜야 할 규칙
③ 길을 걸을 때 지켜야 할 규칙
④ 비행기를 탈 때 지켜야 할 규칙
⑤ 자전거를 탈 때 지켜야 할 규칙

2 다음 중 이 글에서 언급하지 <u>않은</u> 것을 고르세요.

①   ②   ③

④    ⑤

3 다음 중 이 글의 내용을 바탕으로 빈칸에 들어갈 말이 바르게 짝지어진 것을 고르세요.

> Green means "_____," and red means "_____."

① come – go
② go – come
③ go – stop
④ stop – go
⑤ go – cross

4 다음 중 빈칸에 들어갈 알맞은 말을 고르세요.

> It's _____ to put your hands out the window of a moving car.

① dangerous
② interesting
③ fun
④ safe
⑤ sad

WORDS

☐ **safety** 안전   ☐ **traffic light** 신호등   ☐ **vehicle** 탈것   ☐ **lead** 이끌다   ☐ **serious** 심각한

☐ **accident** 사고   ☐ **mobile phone** 휴대폰   ☐ **sidewalk** 길가, 보도   ☐ **injury** 부상

[1-2] 다음 중 빈칸에 들어갈 알맞은 말을 고르세요.

1

John broke his leg in a traffic _____.

① road   ② street   ③ sign

④ rules   ⑤ accident

2

He wants to be a pilot _____ he grows up.

① while   ② do   ③ when

④ what   ⑤ because

3 다음 중 보기의 설명에 해당하는 단어를 고르세요.

a road in a city, town, or village

① vehicle   ② street   ③ house

④ traffic   ⑤ accident

4 다음 중 그림을 보고 관련 있는 문장을 고르세요.

① Always use the sidewalk.

② Don't cross the street when the traffic light turns red.

③ Don't use your mobile phone while driving.

④ Never cross the road when vehicles are passing by.

⑤ Wear a helmet when you ride a bike.

GRAMMAR TIME

when과 while의 의미와 쓰임

1 시간을 나타내는 접속사 when과 while은 [when/while+주어+동사 ~]의 형태로 문장과 문장을 연결하여 시간에 대한 정보를 나타냅니다.

2 when은 '~하면' 또는 '~ 할 때'이라는 의미를 가지고 있습니다.
   Call me **when** you're free. 한가하면 전화 주세요.
   It was cold **when** I went outside. 내가 밖에 나갔을 때 날씨가 추웠다.

3 while은 '~하면서', '~하는 동안'라는 의미를 가지고 있으며, 두 가지 일이 동시에 진행됨을 나타낼 때 사용합니다.
   He drinks coffee **while** he reads a book. 그는 책을 읽으면서 커피를 마신다.
   Please take care of my cat **while** I'm away. 내가 없는 동안 내 고양이를 돌봐 주세요.

1 다음 중 빈칸에 들어갈 알맞은 말을 고르세요.

She was really beautiful _____ she was young.

① what   ② when   ③ which
④ where   ⑤ who

2 다음 영어를 우리말로 쓰세요.

(1) He called me while I was taking a shower.

_____

(2) What do you want to be when you grow up?

_____

(3) Be careful when you cross the street.

_____

01 다음 중 밑줄 친 단어의 쓰임이 <u>다른</u> 것을 고르세요.

① I like <u>reading</u> books.

② She's <u>playing</u> computer games now.

③ My hobby is <u>watching</u> movies.

④ His job is <u>teaching</u> English.

⑤ <u>Telling</u> a lie is bad.

[02-03] 다음 중 빈칸에 들어갈 알맞은 말을 고르세요.

02

A _____ do you like?

B I like baseball.

① How sport   ② When   ③ What sport

④ Where   ⑤ What food

03

He drinks coffee _____ he watches TV.

① what   ② while   ③ how

④ during   ⑤ for

04 다음 중 빈칸에 들어갈 말로 바르게 짝지어진 것을 고르세요.

• Call me _____ you're free.

• _____ fruit do you want to buy?

① when – What   ② what – What

③ while – When   ④ how – What

⑤ while – While

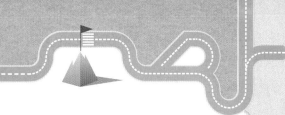

[05-06] 다음을 읽고 질문에 답하세요.

Cross the street only when the traffic light turns green.
Look both ways when you cross the street.
Don't cross the street when the traffic light turns red.
Never cross the road when vehicles are passing by.
<u>It</u> may lead to serious accident.
Do not use your mobile phone _____ walking or riding any vehicles.

05 다음 중 밑줄 친 <u>It</u>의 의미로 알맞은 것을 고르세요.

① walking down the street
② talking on the phone
③ riding any vehicles
④ crossing the road when cars are passing by
⑤ using your mobile phone when you cross the street

06 다음 중 빈칸에 들어갈 알맞은 말을 고르세요.

① what   ② while   ③ how
④ during   ⑤ for

07 다음 중 빈칸에 공통으로 들어갈 말을 고르세요.

· We use airplanes to travel _____ distances.
· Airplanes are the fastest way to make _____ trips.

① short   ② safe   ③ high
④ fast   ⑤ long

[08-09] 다음 중 보기의 설명에 해당하는 단어를 고르세요.

08

a thing such as a car, bus, or taxi

① water   ② vehicle   ③ ship

④ car   ⑤ street

09

a person traveling in vehicles

① escalator   ② train   ③ passenger

④ machine   ⑤ seat

10 다음 중 그림을 보고 빈칸에 들어갈 알맞은 말을 고르세요.

They are _____ the bus.

① waiting for   ② waking to

③ running to   ④ getting off

⑤ getting on

11 다음 중 빈칸에 들어갈 알맞은 말을 고르세요.

Kevin is fat _____ he eats too much.

① so   ② because   ③ what

④ when   ⑤ while

12 다음 중 보기 대답에 알맞은 질문을 고르세요.

> I want potato pizza.

① What music are you playing?
② What are you eating now?
③ What fruit do you want to eat?
④ What kind of pizza do you want?
⑤ What sport do you like most?

13 다음 보기에서 빈칸에 알맞은 말을 골라 쓰세요.

> | travel | protect | injury |

(1) We should ＿＿＿＿＿＿＿ wild animals.

(2) I want to ＿＿＿＿＿＿＿ around the world.

(3) His ＿＿＿＿＿＿＿ was not serious.

14 다음 밑줄 친 It이 의미하는 것을 영어로 쓰세요.

> Wear a helmet when you ride a bike.
> It protects you from injury.

＿＿＿＿＿＿＿＿＿＿＿＿＿＿＿＿＿

15 다음 대화의 빈칸에 알맞은 말을 쓰세요.

> A ＿＿＿＿＿＿ animal do you like?
> B I like dogs.

＿＿＿＿＿＿＿＿＿＿＿＿＿＿＿＿＿

다음 단어의 뜻을 쓰고, 단어를 세 번씩 더 써보세요.

01	accident	사고	accident	accident	accident
02	airplane				
03	convenient				
04	crowded				
05	distance				
06	facility				
07	injury				
08	safety				
09	serious				
10	sidewalk				
11	station				
12	transport				
13	trip				
14	underground				
15	vehicle				

Chapter 5
Activities

COPTER

COOKING

SHOPPING

CINEMA

MUSIC LISTENING

READING

ASTRONOMY

CHESS

PHOTOGRAPHY

UNIT 1 **Paper Airplanes**
UNIT 2 **Skateboarding**
UNIT 3 **Having a Hobby**

UNIT 1 Paper Airplanes

TR 4-13

Airplanes are flying in the air.

There are no pilots in the airplanes.

The airplanes are made of _____.

They are paper airplanes.

Peter is flying paper airplanes at the park.

Some paper airplanes fly very straight.

Some paper airplanes stay in the air for a long time.

Peter's hobby is making and flying paper airplanes.

Peter makes and flies paper airplanes when he's free.

He makes many different styles of paper airplanes.

He feels good when he watches the paper airplanes flying in the air.

Making and flying paper airplanes are very fun.

1 다음 중 이 글에서 언급하지 <u>않은</u> 것을 고르세요.

① Peter가 있는 장소   ② Peter의 취미

③ 종이비행기의 색깔   ④ 종이비행기들이 나는 모습

⑤ Peter가 종이비행기를 날릴 때 기분

2 다음 중 빈칸에 들어갈 알맞은 말을 고르세요.

① plastic   ② paper   ③ wood

④ glass   ⑤ cloth

3 다음 질문에 Yes나 No로 대답하세요.

(1) Does Peter fly paper airplanes every Sunday?   Yes   No

(2) Does Peter fly paper airplanes when he is free?   Yes   No

4 다음 대화의 빈칸에 알맞은 말을 쓰세요.

> **A** What is Peter doing at the park?
>
> **B** He is _____ .

WORDS

☐ **airplane** 비행기   ☐ **fly** 날다, 날리다   ☐ **pilot** 비행기 조종사   ☐ **park** 공원   ☐ **some** 어떤, 몇몇

☐ **straight** 똑바로   ☐ **stay** 머무르다   ☐ **air** 공중, 공기   ☐ **for a long time** 오랫동안   ☐ **hobby** 취미

☐ **free** 여유로운   ☐ **different** 다른, 다양한   ☐ **style** 스타일   ☐ **fun** 재미있는

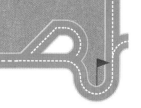

WORD CHECK

[1-2] 다음 중 대화의 빈칸에 들어갈 알맞은 말을 고르세요.

1

A What are you going to do tomorrow?

B I'm going to _____ home.

① read   ② play   ③ sing

④ stay   ⑤ fly

2

A What do you usually do when you are _____?

B I read books.

① free   ② a boy   ③ young

④ future   ⑤ sleeping

3 다음 중 this에 해당하는 단어를 고르세요.

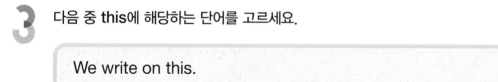

We write on this.

The pages of a book are made of this.

① pilot   ② paper   ③ park

④ pencil   ⑤ ink

4 다음 중 different와 의미가 반대인 것을 고르세요.

① fun   ② difficult   ③ similar

④ cold   ⑤ happy

GRAMMAR TIME

대명사 it과 they의 의미와 쓰임

1. it은 문장에서 주어와 목적어 역할을, they는 문장에서 주어 역할을 합니다.

2. it과 they의 의미와 쓰임

it (그것은)	앞에서 언급한 단수명사를 대신해서 사용합니다. it은 동물이나, 사물을 대신합니다.	I watched the soccer game last night. **It** was very exciting. 나는 지난밤에 축구경기를 봤다. 그것은 매우 재미있었다. (It = the soccer game)
they (그들은, 그것들은)	앞에서 언급한 복수명사를 대신해서 사용합니다. they는 사람, 동물, 사물 등을 대신합니다.	There are three boys in the room. **They** are my cousins. 방에 소년이 세 명 있다. 그들은 나의 사촌들이다. (They = three boys)

3. it은 문장에서 목적어로도 사용합니다.

I lost my bag. Did you see **it**? (it = my bag)

나는 가방을 잃어버렸어. 내 가방 봤니?

4. they는 주어 역할을 하며 목적어 역할은 them이 합니다.

I lost my pencils. Did you see **them**? (them = my pencils)

나는 내 연필들을 잃어버렸어. 너는 그것들을 봤니?

---

1 다음 괄호 안에서 알맞은 것을 고르세요.

(1) Andy and his friends go on a vacation. (It / They / Them) need plane tickets.

(2) There are many boys in the room. I love (it / they / them) very much.

(3) He lost his watch. Did you see (it / they / them)?

(4) Tom and Brown are my friends. (It / They / Them) are very diligent.

(5) She gave me an apple. (It / They / Them) was a red apple.

TR 4-14

 What are you going to do tomorrow, Kevin?

 I'm going to go skateboarding at the park.

 Who are you going to go skateboarding with?

 I'm going to go skateboarding with my dad.

 How long have you been skateboarding?

 I started 2 years ago.

 How often do you go skateboarding?

 I go once a week.

I usually go skateboarding on Saturday.

Do you want to join us, Cindy?

 I'd love to, but I have to attend my uncle's wedding.

 Oh, I see.

1 다음 중 이 글의 대화의 내용과 일치하지 <u>않는</u> 것을 고르세요.

① Kevin은 내일 공원에서 스케이트보드를 탈 것이다.

② Cindy는 내일 결혼식장에 갈 것이다.

③ Kevin은 일주일에 한 번 스케이트보드를 탄다.

④ Kevin은 2년 전에 처음 스케이트보드를 탔다.

⑤ Cindy는 스케이트보드를 타 본 적이 없다.

2 다음 중 빈칸에 들어갈 알맞은 말을 고르세요.

> Kevin is going to ride his skateboard with _____.

① this Sunday   ② the park   ③ his dad

④ his friend   ⑤ Saturday

3 다음 질문에 Yes나 No로 대답하세요.

(1) Does Kevin ride a skateboard on Sunday?   Yes   No

(2) Is Kevin going to meet Cindy at the park tomorrow?   Yes   No

4 다음 대화의 빈칸에 알맞은 말을 쓰세요.

> A What is Cindy going to do tomorrow?
>
> B She is going to _____.

WORDS ···

☐ **skateboard** 스케이트보드   ☐ **start** 시작하다   ☐ **ago** 전에   ☐ **often** 자주   ☐ **once** 한 번

☐ **week** 주, 일주일   ☐ **usually** 보통   ☐ **join** 함께 하다   ☐ **attend** 참석하다   ☐ **wedding** 결혼식

1 다음 중 대화의 빈칸에 들어갈 알맞은 말을 고르세요.

> A _____ do you practice the piano?
>
> B I practice the piano twice a week.

① How long   ② How far   ③ How old
④ How often   ⑤ How many

2 다음 중 그림을 보고 빈칸에 들어갈 알맞은 말을 고르세요.

> I usually go _____ on Saturday

① skateboarding   ② playing
③ hiking   ④ fishing
⑤ shopping

3 다음 중 보기의 설명에 해당하는 단어를 고르세요.

> the day after today

① yesterday   ② tomorrow   ③ weekend
④ holiday   ⑤ vacation

4 다음 대화의 빈칸에 알맞은 말을 쓰세요.

> A Can you play baseball with us, Cindy?
>
> B I'd love to, _____ I have to finish my homework.

GRAMMAR TIME

[How+형용사 ~?]에 대한 대답

How far ~ ? (얼마나 먼)	**A How far** is it from here to your school? 여기서 네 학교까지 얼마나 머니? **B** It takes about 10 minutes by bus. 버스로 10분 정도 걸려. • 동사 take는 '시간이 걸리다'라는 의미입니다.
How long ~ ? (얼마나 긴)	**A How long** is the bridge? 그 다리는 얼마나 기니? **B** It's 50m long. 50미터야.
How often ~ ? (얼마나 자주)	**A How often** do you practice the guitar? 너는 기타연습을 얼마나 자주 하니? **B** I practice the guitar once a week. 일주일에 한 번 기타 연습을 해.
How tall ~ ? (얼마나 높은)	**A How tall** is the building? 그 건물은 얼마나 높니? **B** It's about 20m tall. 약 20미터 높이야.

TIPS 횟수 표현

- twice a week 일주일에 두 번
- three times a week 일주일에 세 번
- twice a month 한 달에 두 번
- three times a month 한 달에 세 번

[1-2] 다음 대화의 빈칸에 들어갈 알맞은 말을 고르세요.

1

A _____ is the tower in the city?

B It's about 150m tall.

① How long ② How far ③ How old
④ How often ⑤ How tall

2

A How often do you go out for dinner?

B _____

① It's very good. ② It's 10m tall.
③ It's 5 dollars. ④ I go out twice a month.
⑤ It's a 10-minute walk.

Having a Hobby

TR 4-15

I have a variety of hobbies, such as drawing pictures,

playing the piano, reading, and doing sports.

When I'm free, I spend time doing my hobbies.

Drawing is my most favorite hobby.

I like drawing pictures of people, animals, and landscapes.

I use crayons and colored pencils to draw pictures.

I feel happy when I do my hobbies.

I hope all of you can find your own hobbies and have fun

from them.

Having a hobby will increase your happiness.

Having a hobby can relieve your stress.

1 다음 중 이 글의 내용과 일치하지 <u>않는</u> 것을 고르세요.

① I draw pictures with crayons.

② When I'm free, I play the piano.

③ I have fun from my hobbies.

④ I don't like to play outdoor sports.

⑤ Having a hobby is good for our mental health.

2 다음 중 밑줄 친 <u>them</u>이 의미하는 것을 고르세요.

① happiness　　　② stress　　　③ your hobbies

④ pictures　　　⑤ people

3 다음 중 취미로 언급하지 <u>않은</u> 것을 고르세요.

①　　②　　③　

④　　⑤　

4 다음 대화의 빈칸에 알맞은 말을 쓰세요.

> A What are the benefits of having a hobby?
>
> B It will increase your _____.

WORDS

□ **variety** 다양　□ **hobby** 취미　□ **such as** ~ 같은　□ **drawing** 그리기　□ **spend** (시간 등) 보내다

□ **favorite** 좋아하는　□ **picture** 그림　□ **landscape** 풍경　□ **crayon** 크레용　□ **own** 자신의

□ **increase** 늘리다, 증가시키다　□ **happiness** 행복　□ **relieve** 줄이다　□ **stress** 스트레스

WORD CHECK

1 다음 중 대화의 빈칸에 들어갈 알맞은 말을 고르세요.

> **A** What's your favorite Korean food?
> **B** Bibimbap is my _____ favorite Korean food.

① many   ② much   ③ most
④ good   ⑤ more

2 다음 보기에서 빈칸에 알맞은 말을 골라 쓰세요.

> spend   draw   favorite

(1) My _____ sport is baseball.

(2) I'd like to _____ my vacation in the countryside.

(3) Can you _____ a rectangle?

3 다음 중 보기의 설명에 해당하는 단어를 고르세요.

> an activity that you enjoy doing in your free time

① homework   ② hobby   ③ study
④ job   ⑤ practice

4 다음 빈칸에 공통으로 들어갈 말을 쓰세요.

> • I spend time doing my hobbies _____ I'm free.
> • I feel happy _____ I see you.

GRAMMAR TIME

[to+동사원형]의 의미와 쓰임

1 [to+동사원형]은 문장에서 '~하기 위해서'라고 해석할 수 있습니다.

   I use pencils **to draw** pictures. 나는 그림을 그리기 위해 연필을 사용한다.

2 [to+동사원형]은 문장에서 목적어 역할을 하며 '~하는 것을'이라고 해석할 수 있습니다.

   I like **to swim** in the sea. 나는 바다에서 수영하는 것을 좋아한다.

3 다음과 같은 동사 뒤에는 [to+동사원형]이 오며, [to+동사원형]은 목적어 역할을 합니다.

want	decide	hope	plan

   He decided **to stop** smoking. 그는 금연을 하기로 결심했다.

   I hope **to see** you soon. 당신을 곧 만나기를 희망한다.

---

1 다음 우리말과 같도록 보기의 동사를 이용하여 문장을 완성해 보세요.

travel	buy	study

(1) He hopes _____ in Canada.

   그는 캐나다에서 공부하는 것을 희망한다.

(2) We want _____ to England.

   우리는 영국으로 여행가는 것을 원한다.

(3) I decided _____ the book.

   나는 그 책을 사기로 결심했다.

2 다음 영어를 우리말로 쓰세요.

(1) I like to play the piano.

   _____

(2) He goes to the market to buy some vegetables.

   _____

(3) I want to eat pizza for lunch.

   _____

Answers p.16

[01-02] 다음 중 빈칸에 들어갈 알맞은 말을 고르세요.

01 I went to the market _____ buy some vegetables.

① for   ② in   ③ on
④ of   ⑤ to

02 He decided to _____ drinking coffee.

① stops   ② stopping   ③ stop
④ stopped   ⑤ be stopped

[03-04] 다음 중 대화의 빈칸에 들어갈 알맞은 말을 고르세요.

03 A How _____ do you practice the guitar?
    B I practice the guitar once a week.

① long   ② often   ③ far
④ old   ⑤ times

04 A How far is it from here to your school?
    B It _____ about 10 minutes by bus.

① takes   ② rides   ③ gets
④ goes   ⑤ does

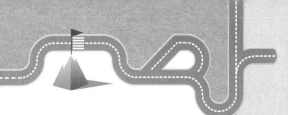

[05-06] 다음을 읽고 질문에 답하세요.

Peter is flying paper airplanes at the park.

Some paper airplanes fly very straight.

Some paper airplanes stay in the air for a long time.

Peter's hobby is making and flying paper airplanes.

Peter makes and flies paper airplanes when he's free.

He makes many different <u>styles</u> of paper airplanes.

He feels good when he watches the paper airplanes flying in the air.

05 다음 중 이 글의 내용과 <u>다른</u> 것을 고르세요.

① Peter spends his free time making paper airplanes.

② Peter can make different styles of paper airplanes.

③ Peter is at the park now.

④ Making and flying paper airplanes are Peter's hobbies.

⑤ All paper airplanes can fly very high.

06 다음 중 밑줄 친 **styles**와 의미가 유사한 것을 고르세요.

① times   ② forms   ③ paper

④ hobbies   ⑤ games

07 다음 중 빈칸에 들어갈 수 <u>없는</u> 말을 고르세요.

How often do you go _____?

① shopping   ② buying   ③ fishing

④ camping   ⑤ swimming

08

activities such as football and basketball

① hobbies   ② vegetables   ③ animals
④ sports   ⑤ pictures

09

a marriage ceremony

① camping   ② wedding   ③ reading
④ drawing   ⑤ flying

10 다음 중 빈칸에 들어갈 알맞은 말을 고르세요.

There are three boys in the classroom.
_____ are my classmates.

① He   ② There   ③ They
④ We   ⑤ Them

11 다음 중 대화의 빈칸에 들어갈 알맞은 말을 고르세요.

A Do you want to play soccer with us, Cindy?
B I'd love to, _____ I have to walk my dog.

① so   ② because   ③ but
④ and   ⑤ when

12 다음 중 보기 대답에 알맞은 질문을 고르세요.

> It's about 50*m* tall.

① How long is the building?　② How tall is the building?

③ How far is the building?　④ How often is the building?

⑤ How much is the building?

13 다음 보기에서 빈칸에 알맞은 말을 골라 쓰세요.

> **attend**　　**crayons**　　**draw**

(1) Donovan did not ＿＿＿＿＿＿＿＿＿ the meeting.

(2) Can you ＿＿＿＿＿＿＿ a circle?

(3) The girl is drawing with ＿＿＿＿＿＿＿＿.

14 다음 그림을 보고 대화의 빈칸에 알맞은 말을 쓰세요.

> **A** How often do you practice the guitar?
>
> **B** I practice the guitar ＿＿＿＿＿＿ a week.

15 다음 대화의 빈칸에 알맞은 말을 쓰세요.

> **A** ＿＿＿＿＿＿＿ is the bridge?
>
> **B** It's about 150*m* long.

WORD MASTER

TR 4-15-W

 다음 단어의 뜻을 쓰고, 단어를 세 번씩 더 써보세요.

01	**air**	공중, 공기	air	air	air
02	**attend**				
03	**different**				
04	**favorite**				
05	**happiness**				
06	**increase**				
07	**landscape**				
08	**often**				
09	**once**				
10	**relieve**				
11	**stay**				
12	**straight**				
13	**usually**				
14	**variety**				
15	**wedding**				

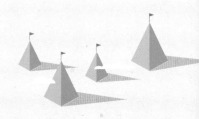

Chapter 6
Music

TR 4-16

Irene has a dream to become a famous superstar when she grows up.

She enjoys singing and dancing.

She practices her dancing skills every day.

She watches dancing videos and follows the moves in the videos.

On Monday, Wednesday, and Saturday she takes singing lessons, so she can improve her singing skills.

She likes to perform in front of her family and friends.

They think she is really talented.

Irene works really hard to make her dreams come true.

1 다음 중 이 글의 내용과 일치하지 <u>않는</u> 것을 고르세요.

① Irene likes singing and dancing.

② Irene has singing lessons 3 times a week.

③ Irene's friends think Irene isn't good at singing.

④ Irene likes to sing in front of her family.

⑤ Irene watches dancing videos.

2 다음 중 Irene이 영상을 보는 이유를 고르세요.

① to make a film ② to finish her homework

③ to draw dancing girls ④ to improve her singing skills

⑤ to improve her dancing skills

3 다음 중 Irene이 매일 하는 것을 고르세요.

①   ②  ③   ④   ⑤

4 다음 대화의 빈칸에 알맞은 말을 쓰세요.

> **A** What does Irene want to be when she grows up?
>
> **B** She wants to be _____ .

WORDS

☐ **dream** 꿈 ☐ **famous** 유명한 ☐ **superstar** 슈퍼스타 ☐ **enjoy** 즐기다 ☐ **practice** 연습하다

☐ **skill** 실력 ☐ **follow** 따라 하다 ☐ **lesson** 수업, 레슨 ☐ **improve** 향상하다 ☐ **perform** 공연하다

☐ **in front of** ~ 앞에서 ☐ **think** 생각하다 ☐ **talented** 재능 있는 ☐ **come true** 실현되다

WORD CHECK

1 다음 중 빈칸에 들어갈 알맞은 말을 고르세요.

> I hope that your dream will _____.

① make true   ② come true   ③ practice
④ take care of   ⑤ work hard

2 다음 보기에서 빈칸에 알맞은 말을 골라 쓰세요.

> **famous**   **lessons**   **perform**

(1) I take music _____ every day.

(2) I want to be a _____ soccer player.

(3) She traveled around the world to _____ concerts.

3 다음 중 보기의 설명에 해당하는 단어를 고르세요.

> the day after Friday and before Sunday

① Monday   ② Saturday   ③ holiday
④ weekend   ⑤ Tuesday

4 다음 중 gifted와 의미가 비슷한 것을 고르세요.

① hard   ② present   ③ famous
④ cheerful   ⑤ talented

GRAMMAR TIME

1 다음과 같은 동사 뒤에는 동명사(동사+ing)가 오며 동명사는 목적어 역할을 합니다.

| enjoy | finish | stop | + | 동명사 |

Kevin **finished** writing a letter. 케빈은 편지 쓰는 것을 끝냈다.
Nowadays, I **enjoy** playing basketball. 요즘 나는 농구하는 것을 즐긴다.
I **stop** smoking. 나는 담배 피우는 것을 중단했다.

2 동명사와 to부정사를 둘 다 목적어로 사용할 수 있고, 의미상 차이가 없는 동사들이 있습니다.

| start | begin | like | love | + | to 동사원형 / 동명사 |

It **started** to rain suddenly. 갑자기 비가 내리기 시작했다.
= It **started** raining suddenly.
I **like** to watch movies. 나는 영화 보는 것을 좋아한다.
= I **like** watching movies.

---

1 다음 중 빈칸에 들어갈 수 <u>없는</u> 것을 고르세요.

> She _____ taking a walk in the forest.

① enjoys ② wants ③ finished
④ loves ⑤ likes

---

2 다음 주어진 단어를 이용하여 문장을 완성하세요.

(1) They enjoy _____ a snowman in winter. (make)

(2) They stopped _____ when he came in. (talk)

(3) I love _____ sports on TV at home. (watch)

(4) The man finished _____ the dishes. (wash)

TR 4-17

Playing a musical instrument is a great hobby.

Josh can play the piano very well.

He started playing the piano when he was 5 years old.

He still really enjoys it now.

It's the perfect way to relax and get cheered up when he's feeling down.

He has piano lessons twice a week.

He has a lovely brown piano in his room.

He enjoys playing the piano at home.

Sometimes, he makes his family annoyed because he plays the piano all day on the weekends.

His family doesn't want to listen to him play the piano on the weekends, but Josh thinks he needs more practice.

1 다음 중 이 글의 내용과 일치하지 <u>않는</u> 것을 고르세요.

① Josh는 5살부터 피아노를 쳤다.

② Josh는 피아노 치는 것이 즐겁다.

③ Josh는 일주일에 2번 피아노 수업이 있다.

④ Josh의 방에 피아노가 있다.

⑤ 가족들은 Josh가 피아노 치는 것을 항상 좋아한다.

2 다음 중 Josh의 피아노로 알맞은 것을 고르세요.

①  ②  ③  ④  ⑤

3 다음 중 Josh를 연상케 하는 속담을 고르세요.

① Practice makes perfect.　② Like father, like son

③ To see is to believe.　④ No news is good news.

⑤ A rat in a trap

4 다음 대화의 빈칸에 알맞은 말을 쓰세요.

> A What does Josh do when he feels down?
>
> B He _____ .

WORDS

□ **musical instrument** 악기　□ **hobby** 취미　□ **still** 여전히　□ **really** 정말　□ **perfect** 완벽한

□ **relax** 편안해지다　□ **cheer up** 위로하다　□ **feel down** 울적하다　□ **twice** 두 번

□ **annoyed** 짜증난　□ **weekend** 주말　□ **practice** 연습하다

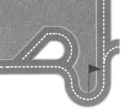

1 다음 중 빈칸에 들어갈 알맞은 말을 고르세요.

> He is a _____ musician.

① still   ② great   ③ sometimes

④ down   ⑤ well

2 다음 보기에서 빈칸에 알맞은 말을 골라 쓰세요.

> **all day**   **really**   **relax**

(1) I stayed in bed _____.

(2) Music helps me to _____.

(3) They _____ like Korean food.

3 다음 중 보기의 설명에 해당하는 단어를 고르세요.

> a period of 7 days

① Sunday   ② week   ③ holiday

④ weekend   ⑤ Monday

4 다음 중 lovely와 의미가 비슷한 것을 고르세요.

① beautiful   ② perfect   ③ happy

④ exciting   ⑤ talented

GRAMMAR TIME

1 부사는 동사, 형용사, 다른 부사 또는 문장 전체를 꾸며 주는 역할을 하며, 문장 자체를 풍부하게 해주는 역할을 합니다.

동사 뒤에서 동사를 꾸며준다.	He runs **fast**. 그는 빨리 달린다.
형용사 앞에서 형용사를 꾸며준다.	This box is **really** heavy. 이 상자는 정말로 무겁다.
부사 앞에서 부사를 꾸며준다.	She sings **very** well. 그녀는 노래를 매우 잘 부른다. • 부사 very는 well을 꾸며주고 well은 동사 sing을 꾸며줍니다.

2 빈도부사 always, usually, often, never의 위치

be동사, 조동사 뒤	They were **never** late for school. 그들은 결코 학교에 지각하지 않았다.
일반동사 앞	She **always** gets up early. 그녀는 항상 일찍 일어난다.

3 시간을 나타내는 부사 today, yesterday, tomorrow 등은 보통 문장 끝에 옵니다.
It was cold and windy **yesterday**. 어제는 춥고 바람이 불었다.

---

1 다음 중 밑줄 친 부사의 위치가 올바르지 <u>않은</u> 것을 고르세요.

① He walked <u>slowly</u>.
② The party was <u>really</u> fun.
③ I had lunch with Mary <u>yesterday</u>.
④ She drinks <u>usually</u> coffee after dinner.
⑤ It is <u>very</u> hot today.

2 다음 문장의 ①~⑤ 중 always가 들어갈 수 있는 곳을 고르세요.

> ① We ② will ③ remember ④ you ⑤.

TR 4-18

A school band is a group of student musicians.

They rehearse and perform their musical instruments together.

Chris is a member of the school band.

His band is going to participate in a local contest.

He plays the trumpet in the band.

The band has many sections.

Susan and Ted are in the flute section.

They blow into their instruments.

They put their fingers over the holes on their flutes.

Cathy and Donovan are in the violin section.

Violins are string instruments.

They push up and pull down the bow across the violin's strings.

The band practices for the contest every day.

Chris hopes his band performs well at the _____.

1 다음 중 이 글의 내용과 일치하는 것을 고르세요.

① Chris plays the piano in the band.

② Ted plays the violin in the band.

③ Donovan uses a violin bow when he plays the violin.

④ Flutes are string instruments.

⑤ The band practices for the contest 3 times a week.

2 이 글에서 바이올린을 연주할 때 마찰하는 두 부분을 찾아 쓰세요.

(1) _____

(2) _____

3 다음 중 빈칸에 들어갈 알맞은 말을 고르세요.

① contest   ② section   ③ band

④ string instruments   ⑤ trumpet

4 다음 질문에 Yes나 No로 대답하세요.

(1) Are there any holes on the flute?   Yes   No

(2) Does the band practice for the local contest?   Yes   No

(3) Does Susan play the violin?   Yes   No

WORDS

☐ **musician** 음악가   ☐ **rehearse** 연습하다   ☐ **musical instrument** 악기   ☐ **member** 회원

☐ **participate** 참가하다   ☐ **local** 지역의   ☐ **trumpet** 트럼펫   ☐ **section** (음악) 섹션

☐ **flute** 플루트   ☐ **hole** 구멍   ☐ **string** 줄   ☐ **push up** 밀어 올리다   ☐ **pull down** 끌어 내리다

WORD CHECK

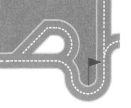

1 다음 중 string instrument에 해당하지 <u>않는</u> 것을 고르세요.

① guitar   ② harp   ③ violin

④ cello   ⑤ trumpet

2 다음 중 그림을 보고 빈칸에 들어갈 알맞은 말을 고르세요.

> He is _____ his whistle.

① wearing   ② sending   ③ singing

④ putting   ⑤ blowing

3 다음 중 보기 표현과 비슷한 말을 고르세요.

> participate in

① take off   ② take part in   ③ give up

④ put down   ⑤ take care of

4 다음 단어의 뜻을 바르게 연결하세요.

(1) violin   •   • A. a thin rope

(2) band   •   • B. a small string instrument with a bow

(3) string   •   • C. a small group of musicians

GRAMMAR TIME

up과 down이 들어간 표현

up을 사용한 표현 (위, 상승, 증가 등을 의미합니다.)	wake **up** 깨다 hurry **up** 서두르다 stand **up** 일어서다 get **up** 일어나다 dress **up** 차려입다	
down을 사용한 표현 (하락, 감소, 악화 등을 의미 합니다.)	sit **down** 앉다 lie **down** 눕다 write **down** 받아 적다 calm **down** 진정하다 break **down** 고장 나다 touch **down** 착륙하다	

1 다음 중 우리말과 같도록 빈칸에 들어갈 알맞은 말을 고르세요.

> Would you _____ your name for me?
>
> 이름을 적어 주시겠어요?

① get down   ② dress up   ③ write down

④ sit down   ⑤ break down

2 다음 우리말과 같도록 괄호 안에서 알맞은 것을 고르세요.

(1) My car (broke down / got up) again.

　　내 차는 다시 고장 났다.

(2) I want to (dress up / lie down) on the bed.

　　나는 침대에서 누워 있기를 원한다.

(3) Could you help me (stand up / hurry up), please?

　　일어나게 도와주시겠어요?

(4) I usually (calm down / wake up) at 6 o'clock.

　　나는 보통 6시에 일어난다.

[01-02] 다음 중 빈칸에 들어갈 알맞은 말을 고르세요.

01   Nowadays, I enjoy _____ baseball.

① play   ② plays   ③ to play

④ playing   ⑤ to playing

02   This dog is _____ fast.

① late   ② good   ③ funny

④ slow   ⑤ really

[03-04] 다음 중 빈칸에 들어갈 수 <u>없는</u> 것을 고르세요.

03   Tony was _____ late for school.

① never   ② often   ③ always

④ well   ⑤ sometimes

04   She _____ watering plants.

① enjoys   ② wants   ③ finished

④ stopped   ⑤ likes

[05-06] 다음을 읽고 질문에 답하세요.

> Playing a musical instrument is a great hobby.
>
> Josh can play the piano very well.
>
> He started playing the piano when he was 5 years old.
>
> He still really enjoys it now.
>
> It's a perfect way to relax and get cheered up when he's feeling down.
>
> He has piano lessons twice a week.

05 다음 중 이 글의 내용과 <u>다른</u> 것을 고르세요.

① Josh is good at playing the piano.

② Josh takes piano lessons.

③ Josh wants to be a great musician.

④ Josh plays the piano when he's feeling down.

⑤ Josh likes to play the piano.

06 다음 중 밑줄 친 It이 의미하는 것을 고르세요.

① learning a musical instrument ② playing outdoors

③ playing the piano ④ having a hobby

⑤ playing a musical instrument

07 다음 중 빈칸에 공통으로 들어갈 알맞은 말을 고르세요.

> · She and her child want to sit _____.
>
> · I have a headache and I need to lie _____.

① to ② on ③ in

④ down ⑤ up

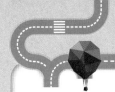

[08-10] 다음 중 보기의 설명에 해당하는 단어를 고르세요.

08

a person playing a musical instrument as his job

① writer   ② musician   ③ pianist
④ cook   ⑤ painter

09

a large musical instrument with black and white keys

① piano   ② trumpet   ③ guitar
④ violin   ⑤ cello

10

a very famous entertainer or sports player

① movie actor   ② superstar   ③ doctor
④ teacher   ⑤ musician

11 다음 중 빈칸에 들어갈 알맞은 말을 고르세요.

Irene works really hard to make her dream _____ .

① go true   ② come back   ③ go in
④ come true   ⑤ come in

12 다음 중 밑줄 친 부사의 위치가 올바르지 <u>않은</u> 것을 고르세요.

① He walks very <u>slowly</u>.

② The movie was <u>really</u> fun.

③ I'm going to meet him <u>tomorrow</u>.

④ She gets up <u>always</u> at 6 o'clock.

⑤ It is <u>very</u> cold today.

13 다음 보기에서 빈칸에 알맞은 말을 골라 쓰세요.

| need | practice | participate |

(1) We're going to _____ in the contest.

(2) I _____ the piano twice a week.

(3) We _____ some fresh air.

14 다음 중 밑줄 친 **They**가 의미하는 말을 쓰세요.

She likes to perform in front of her family and friends.
<u>They</u> think she is really talented.

_____

15 다음 빈칸에 공통으로 알맞은 말을 쓰세요.

· She dresses _____ for the party.

· There were no seats left, so he had to stand _____.

_____

TR 4-18-W

다음 단어의 뜻을 쓰고, 단어를 세 번씩 더 써보세요.

01	enjoy	즐기다	enjoy	enjoy	enjoy
02	flute				
03	hobby				
04	hole				
05	improve				
06	instrument				
07	local				
08	musician				
09	perfect				
10	perform				
11	rehearse				
12	relax				
13	talented				
14	trumpet				
15	weekend				

Memo

Memo

Longman
Reading
Mentor
joy 1

WORKBOOK

 Pearson

WORKBOOK

1 다음 보기에서 의미와 일치하는 단어를 고르고 세 번 쓰세요.

> library   kind   helpful   clean   active   laughter

01 친절한 _____ _____ _____

02 깨끗한 _____ _____ _____

03 웃음소리 _____ _____ _____

04 도서관 _____ _____ _____

05 활동적인 _____ _____ _____

06 도움이 되는 _____ _____ _____

2 다음 중 우리말과 같도록 빈칸에 들어갈 알맞은 말을 고르세요.

01
> I play with my friends there during _____.
> 나는 휴식시간 동안 거기서 내 친구들과 논다.

① classmate　② class　③ breaktime　④ school　⑤ laughter

02
> My class is always _____ of laughter.
> 나의 반은 항상 웃음소리로 가득하다.

① active　② full　③ cold　④ much　⑤ helpful

3 다음 영어와 우리말을 연결하세요.

01 get along with •

• ⓐ 커다란 운동장

02 a big playground •

• ⓑ ~와 잘 어울리다

03 be full of •

• ⓒ ~로 가득 찬

4 다음 괄호 안에서 알맞은 것을 고르세요.

01 She doesn't have (many / much) books.

02 Is there (many / much) milk in the bottle?

03 Do you have many (friend / friends)?

04 How (many / much) money do you have?

5 다음 영어를 우리말로 쓰세요.

01 My classroom is very spacious and clean.

→ _____

02 My classmates are very energetic and active.

→ _____

1 다음 보기에서 의미와 일치하는 단어를 고르고 세 번 쓰세요.

> center   math   value   subject   learn   science

01 수학 _____ _____ _____

02 배우다 _____ _____ _____

03 가치 _____ _____ _____

04 과목 _____ _____ _____

05 과학 _____ _____ _____

06 중심, 중앙 _____ _____ _____

2 다음 중 우리말과 같도록 빈칸에 들어갈 알맞은 말을 고르세요.

01
> _____ do you learn in school?
> 너는 학교에서 무엇을 배우니?

① When   ② What   ③ When   ④ Where   ⑤ Who

02
> I like music and _____.
> 나는 음악과 미술을 좋아한다.

① math   ② science   ③ art   ④ nature   ⑤ letter

3 다음 영어와 우리말을 연결하세요.

01 be located in   •   • ⓐ 좋아하는 과목

02 values and manners •   • ⓑ ~에 위치하다

03 favorite subject   •   • ⓒ 가치와 예의범절

4 다음 우리말과 같도록 빈칸에 What이나 Where를 쓰세요.

01 _____ are you reading now?
너는 지금 무엇을 읽고 있니?

02 _____ is your house?
너의 집은 어디니?

03 _____ do you have for lunch?
너는 점심으로 무엇을 먹니?

04 _____ is your favorite sport?
네가 좋아하는 운동이 뭐니?

5 다음 영어를 우리말로 쓰세요.

01 What is your favorite subject?

→ _____

02 My school is located in the center of my town.

→ _____

1 다음 보기에서 의미와 일치하는 단어를 고르고 세 번 쓰세요.

> war   basketball   stand   fall   give up   hug

01 서다 _____ _____ _____

02 넘어지다 _____ _____ _____

03 전쟁 _____ _____ _____

04 농구 _____ _____ _____

05 포옹 _____ _____ _____

06 포기하다 _____ _____ _____

2 다음 중 우리말과 같도록 빈칸에 들어갈 알맞은 말을 고르세요.

01

David _____ in a running event.
데이비드는 달리기 경기에 참여한다.

① stands   ② gets   ③ gives   ④ puts   ⑤ participates

02

He is running in _____ place.
그는 1등으로 달리고 있다.

① one   ② first   ③ third   ④ finish   ⑤ center

3 다음 영어와 우리말을 연결하세요.

01 take part in •

• ⓐ 다시 일어나다

02 the finish line •

• ⓑ 결승선

03 get back up •

• ⓒ ~에 참여하다

4 다음 우리말과 같도록 보기의 단어를 이용하여 빈칸에 알맞은 말을 쓰세요.

like(s)   look(s) like   feel(s) like

01 What does your daddy _____?
너희 아빠는 어떻게 생겼니?

02 Do you _____ eating out tonight?
너는 오늘밤 외식하고 싶니?

03 They _____ playing baseball after school.
그들은 방과 후 야구하는 것을 좋아한다.

5 다음 영어를 우리말로 쓰세요.

01 He stands at the starting line.

→ _____

02 He gets back up and runs toward the finish line.

→ _____

1 다음 보기에서 의미와 일치하는 단어를 고르고 세 번 쓰세요.

> practice   Saturday   competition   easy   cure   medicine

01 쉬운 _____ _____ _____

02 연습하다 _____ _____ _____

03 토요일 _____ _____ _____

04 약 _____ _____ _____

05 치료하다 _____ _____ _____

06 대회 _____ _____ _____

2 다음 중 우리말과 같도록 빈칸에 들어갈 알맞은 말을 고르세요.

01

He wants to make medicine to cure _____.
그는 암을 치료하는 약을 만들고 싶다.

① cancer   ② cold   ③ pain   ④ headache ⑤ toothache

02

He studies science and math very _____.
그는 과학과 수학을 매우 열심히 공부한다.

① easy   ② hard   ③ enough   ④ good   ⑤ well

3 다음 영어와 우리말을 연결하세요.

01 first prize •

02 except on Sundays •

03 do her best •

• ⓐ 최선을 다하다

• ⓑ 일요일을 제외하고

• ⓒ 1등상

4 다음 우리말과 같도록 빈칸에 알맞은 말을 쓰세요.

01 sing → _____
가수

02 music → _____
음악가

03 dance → _____
춤추는 사람

04 write → _____
작가

05 tour → _____
관광객

06 science → _____
과학자

07 act → _____
배우

08 invent → _____
발명가

5 다음 영어를 우리말로 쓰세요.

01 She practices the violin every day.

→ _____

02 It is not easy to be a pharmacist.

→ _____

1 다음 보기에서 의미와 일치하는 단어를 고르고 세 번 쓰세요.

| safe | hold | visit | heavy | chance | put out |

01 방문하다 _____ _____ _____

02 무거운 _____ _____ _____

03 잡다 _____ _____ _____

04 불을 끄다 _____ _____ _____

05 안전한 _____ _____ _____

06 기회 _____ _____ _____

2 다음 중 우리말과 같도록 빈칸에 들어갈 알맞은 말을 고르세요.

01

They had a chance to _____ around the fire station.
그들은 소방서를 둘러볼 기회가 있었다.

① give ② buy ③ take ④ keep ⑤ look

02

He wants to be a firefighter when he _____ up.
그는 커서 소방관이 되고 싶어 한다.

① hurry ② gets ③ gives ④ grows ⑤ takes

3 다음 영어와 우리말을 연결하세요.

01 look around • • ⓐ 호스를 틀다

02 put out fires • • ⓑ 불을 끄다

03 turn on the hose • • ⓒ 둘러보다

4 다음 우리말과 같도록 보기에서 알맞은 말을 골라 빈칸에 쓰세요.

waiting for	look after	turn on

01 Please _____ the lamp.
램프를 켜주세요.

02 She is _____ her dad.
그녀는 아빠를 기다리고 있다.

03 My husband stays home to _____ the children.
내 남편은 아이들을 돌보기 위해 집에 있다.

5 다음 영어를 우리말로 쓰세요.

01 They wear special clothes to keep them safe from the fire.

→ _____

02 The firefighters work day and night.

→ _____

1 다음 보기에서 의미와 일치하는 단어를 고르고 세 번 쓰세요.

> driver   passenger   airport   road   subway   carefully

01 도로, 길 _____ _____ _____

02 공항 _____ _____ _____

03 운전사 _____ _____ _____

04 지하철 _____ _____ _____

05 승객 _____ _____ _____

06 조심스럽게 _____ _____ _____

2 다음 중 우리말과 같도록 빈칸에 들어갈 알맞은 말을 고르세요.

01

> He drives a bus for 8 _____ every day.
> 그는 매일 8시간 동안 버스를 운전한다.

① long   ② ago   ③ years   ④ hours   ⑤ old

02

> Passengers like Mr. Jason _____ he's kind and drives carefully. 승객들은 제이슨 씨가 친절하고 조심스럽게 운전해서 그를 좋아한다.

① so   ② because   ③ but   ④ to   ⑤ when

3 다음 영어와 우리말을 연결하세요.

01 back and forth   •

02 heavy traffic   •

03 public transportation   •

• ⓐ 대중교통

• ⓑ 교통체증

• ⓒ 왔다갔다

4 다음 빈칸에 알맞은 전치사를 쓰세요.

01 We go swimming _____ Tuesday.

02 They take a walk _____ the afternoon.

03 I lived in London _____ 2015.

04 He works _____ night and sleeps during the day.

05 I go to bed _____ 10:30.

5 다음 영어를 우리말로 쓰세요.

01 He shuttles passengers back and forth from the airport to hotels.

→ _____

02 He hopes more people use public transportation.

→ _____

1 다음 보기에서 의미와 일치하는 단어를 고르고 세 번 쓰세요.

> office   bookstore   again   get to   get off   station

01 다시 _____ _____ _____

02 서점 _____ _____ _____

03 역 _____ _____ _____

04 ~에 도착하다 _____ _____ _____

05 탈것에서 내리다 _____ _____ _____

06 사무실 _____ _____ _____

2 다음 중 우리말과 같도록 빈칸에 들어갈 알맞은 말을 고르세요.

01

_____ are you calling from now?

지금 어디에서 전화하는 거니?

① Where   ② How   ③ What   ④ When   ⑤ Why

02

It's not that _____.

그렇게 멀지 않다.

① hot   ② cold   ③ far   ④ soon   ⑤ near

3 다음 영어와 우리말을 연결하세요.

01 get off the subway •

02 my first visit •

03 a five-minute walk •

• ⓐ 나의 첫 번째 방문

• ⓑ 걸어서 5분 거리

• ⓒ 지하철에서 내리다

4 다음 우리말과 같도록 빈칸에 알맞은 말을 쓰세요.

01 How _____ is this bag?
    이 가방은 얼마입니까?

02 How _____ is your sister?
    네 여동생은 몇 살이니?

03 How _____ is it from here to your school?
    여기서 네 학교까지 얼마나 머니?

04 How _____ pencils do you have?
    너는 연필이 몇 개 있니?

5 다음 영어를 우리말로 쓰세요.

01 Are there any landmarks around your office?

    → _____

02 I'll call you again when I get to the bookstore.

    → _____

1 다음 보기에서 의미와 일치하는 단어를 고르고 세 번 쓰세요.

island   statue   tourist   famous   crown   freedom

01 왕관 _____ _____ _____

02 관광객 _____ _____ _____

03 섬 _____ _____ _____

04 자유 _____ _____ _____

05 동상 _____ _____ _____

06 유명한 _____ _____ _____

2 다음 중 우리말과 같도록 빈칸에 들어갈 알맞은 말을 고르세요.

01

The _____ of the Statue of Liberty is about 93 meters.
자유의 여신상의 높이는 대략 93미터다.

① liberty   ② far   ③ weight   ④ height   ⑤ sea

02

The Statue of Liberty is _____ a torch in her right hand.
자유의 여신상은 오른손에 횃불을 들고 있다.

① holding   ② wearing   ③ buying   ④ giving   ⑤ doing

3 다음 영어와 우리말을 연결하세요.

01 a symbol of freedom •

02 famous landmarks •

03 7 continents •

• ⓐ 유명한 랜드마크들

• ⓑ 자유의 상징

• ⓒ 7개의 대륙

4 다음 밑줄 친 부분을 바르게 고치세요.

01 Can you speak <u>chinese</u>? → _____

02 Alice and <u>tom</u> are from Canada. → _____

03 I was born in <u>seoul</u>. → _____

04 I practice the piano on <u>monday</u>. → _____

5 다음 영어를 우리말로 쓰세요.

01 Lots of tourists visit the Statue of Liberty.

→ _____

02 The Statue of Liberty is wearing a crown on her head with 7 spikes on it.

→ _____

1 다음 보기에서 의미와 일치하는 단어를 고르고 세 번 쓰세요.

| capital | people | huge | iron | bring | light bulb |

01 사람들 _____ _____ _____

02 데려오다 _____ _____ _____

03 철 _____ _____ _____

04 거대한 _____ _____ _____

05 전구 _____ _____ _____

06 수도 _____ _____ _____

2 다음 중 우리말과 같도록 빈칸에 들어갈 알맞은 말을 고르세요.

01

Today we're going to _____ about the Eiffel Tower.
오늘 우리는 에펠 타워에 대해 배울 것이다.

① buy ② learn ③ tell ④ take ⑤ call

02

There are 1,665 _____ to the top of the Eiffel Tower.
에펠 타워는 꼭대기까지 1,665개의 계단이 있다.

① spikes ② steps ③ bulbs ④ elevators ⑤ people

3 다음 영어와 우리말을 연결하세요.

01 the capital of France •

02 a must-visit place •

03 top level of the tower •

• ⓐ 타워 꼭대기

• ⓑ 프랑스의 수도

• ⓒ 꼭 방문해야 할 장소

4 다음 괄호 안에서 알맞은 것을 고르세요.

01 Mark is (tall / taller) than James.

02 She is the (taller / tallest) girl in my school.

03 That is the (longer / longest) river in the world.

04 Home schooling is becoming (more / many) popular.

5 다음 영어를 우리말로 쓰세요.

01 The elevator brings people to the top level of the tower.

→ _____

02 The Eiffel Tower is made of iron and it looks like a huge A.

→ _____

1 다음 보기에서 의미와 일치하는 단어를 고르고 세 번 쓰세요.

museum   underground   wait   enter   passenger   convenient

01 편리한

02 지하로, 지하

03 기다리다

04 박물관

05 들어가다

06 승객

2 다음 중 우리말과 같도록 빈칸에 들어갈 알맞은 말을 고르세요.

01

Sara and Ted go to the museum _____ subway.

사라와 테드는 지하철로 박물관에 간다.

① for   ② at   ③ in   ④ to   ⑤ by

02

They wait for the passengers to _____ first.

그들은 승객들이 먼저 내리기를 기다린다.

① get on   ② get off   ③ turn on   ④ turn off   ⑤ get in

3 다음 영어와 우리말을 연결하세요.

01 take the escalator   •

02 get on the subway   •

03 a ticket vending machine •

• ⓐ 표 자동판매기

• ⓑ 지하철을 타다

• ⓒ 에스컬레이터를 타다

4 다음 중 보기의 밑줄 친 것의 쓰임이 같은 것을 고르세요.

> She suddenly started <u>singing</u>.

① He is <u>sleeping</u> on the sofa.
② The boys are <u>playing</u> soccer now.
③ His hobby is <u>reading</u> books.
④ What are you <u>doing</u> now?
⑤ Sam is <u>watching</u> TV now.

5 다음 영어를 우리말로 쓰세요.

01 The subway is very crowded and all the seats are taken.

→ _____

02 They buy their tickets at the ticket vending machine.

→ _____

1 다음 보기에서 의미와 일치하는 단어를 고르고 세 번 쓰세요.

carry speed wing travel distance kind

01 종류 _____ _____ _____

02 여행하다 _____ _____ _____

03 날개 _____ _____ _____

04 거리 _____ _____ _____

05 속도 _____ _____ _____

06 나르다, 옮기다 _____ _____ _____

2 다음 중 우리말과 같도록 빈칸에 들어갈 알맞은 말을 고르세요.

01

Trains carry people from one _____ to another.

기차는 한 장소에서 다른 장소로 사람들을 실어 나른다.

① road ② place ③ wing ④ trip ⑤ way

02

What _____ of transportation do you use?

너는 어떤 교통수단을 이용하니?

① goods ② cabins ③ ships ④ buses ⑤ kinds

3 다음 영어와 우리말을 연결하세요.

01 transport oil   •   • ⓐ 오락 시설

02 recreation facilities •   • ⓑ 장거리 여행을 하다

03 make long trips   •   • ⓒ 기름을 운송하다

4 다음 중 보기 대답에 알맞은 질문을 고르세요.

> I like baseball.

① What music are you playing?
② What are you doing now?
③ What kind of sports do you like?
④ What kind of desserts do you want?
⑤ What kind of food would you like to have?

5 다음 영어를 우리말로 쓰세요.

01 Some trains carry goods from one place to another.

   → _____

02 Airplanes are the fastest way to make long trips.

   → _____

1 다음 보기에서 의미와 일치하는 단어를 고르고 세 번 쓰세요.

cross   serious   accident   injury   protect   safe

01 건너다 _____ _____ _____

02 부상 _____ _____ _____

03 보호하다 _____ _____ _____

04 심각한 _____ _____ _____

05 사고 _____ _____ _____

06 안전한 _____ _____ _____

2 다음 중 우리말과 같도록 빈칸에 들어갈 알맞은 말을 고르세요.

01

Cross the street when the traffic light _____ green.
길은 신호등이 초록으로 바뀔 때 건너라.

① makes   ② turns   ③ puts   ④ rides   ⑤ looks

02

Look _____ ways when you cross the street.
길을 건널 때는 양쪽 길을 봐라.

① one   ② another   ③ second   ④ both   ⑤ two

3 다음 영어와 우리말을 연결하세요.

01 a serious accident •

• ⓐ 최고의 방법

02 the best way •

• ⓑ 심각한 사고

03 pass by •

• ⓒ 지나가다

4 다음 우리말과 같도록 괄호 안에서 알맞은 것을 고르세요.

01 Her phone rang (while / what) she was waiting for the elevator.
엘리베이터를 기다리는 동안 그녀의 전화가 울렸다.

02 Be careful (when / how) you use the scissors.
가위를 사용할 때 조심해라.

03 We always have dreams (during / while) we are sleeping.
우리는 자는 동안 항상 꿈을 꾼다.

5 다음 영어를 우리말로 쓰세요.

01 Never cross the road when vehicles are passing by.

→ _____

02 Let's learn the safety rules.

→ _____

1 다음 보기에서 의미와 일치하는 단어를 고르고 세 번 쓰세요.

> air   pilot   paper   different   straight   free

01 한가한 _____ _____ _____

02 비행기 조종사 _____ _____ _____

03 곧바로 _____ _____ _____

04 종이 _____ _____ _____

05 공중, 공기 _____ _____ _____

06 다른 _____ _____ _____

2 다음 중 우리말과 같도록 빈칸에 들어갈 알맞은 말을 고르세요.

01

> Peter is _____ paper airplanes at the park.
> 피터는 공원에서 종이비행기를 날리고 있다.

① making   ② staying   ③ flying   ④ feeling   ⑤ doing

02

> Peter makes and flies paper airplanes _____ he's free.
> 피터는 여유가 있을 때 종이비행기를 만들고 날린다.

① what   ② so   ③ because   ④ how   ⑤ when

3 다음 영어와 우리말을 연결하세요.

01 for a long time　　　　　·　　　　　　　·　ⓐ 다른 모양들

02 stay in the air　　　　　·　　　　　　　·　ⓑ 공중에 머무르다

03 different styles　　　　　·　　　　　　　·　ⓒ 오랫동안

 4 다음 괄호 안에서 알맞은 것을 고르세요.

01 Andy and Kevin are my cousins. (It / They / Them) live in London.

02 I lost my pencils. Did you see (it / they / them) ?

03 Tom have some cookies. (It / They / Them) look delicious.

04 She gave me a pencil. (It / They / Them) was a blue pencil.

5 다음 영어를 우리말로 쓰세요.

01 Some paper airplanes fly very straight.

　➝ _____

02 Making and flying paper airplanes are very fun.

　➝ _____

1 다음 보기에서 의미와 일치하는 단어를 고르고 세 번 쓰세요.

tomorrow	start	often	usually	attend	uncle

01 삼촌 _____ _____ _____

02 시작하다 _____ _____ _____

03 보통, 주로 _____ _____ _____

04 자주 _____ _____ _____

05 참석하다 _____ _____ _____

06 내일 _____ _____ _____

2 다음 중 우리말과 같도록 빈칸에 들어갈 알맞은 말을 고르세요.

01

_____ often do you go skateboarding?

얼마나 자주 스케이트보드를 타러 가니?

① What　　② When　　③ How　　④ Why　　⑤ Where

02

Do you want to _____ us, Cindy?

너도 우리랑 함께 할래, 신디?

① join　　② have　　③ love　　④ start　　⑤ see

3 다음 영어와 우리말을 연결하세요.

01 2 years ago •

02 once a week •

03 my uncle's wedding •

• ⓐ 일주일에 한 번

• ⓑ 삼촌 결혼식

• ⓒ 2년 전에

4 다음 대화의 빈칸에 알맞은 말을 쓰세요.

01 A: How _____ is the bridge?

B: It's 60m long.

02 A: How _____ is it from here to the market?

B: It is about 2 kilometers.

03 A: How _____ do you practice the piano?

B: I practice the piano twice a week.

5 다음 영어를 우리말로 쓰세요.

01 Who are you going to go skateboarding with?

→ _____

02 I usually go skateboarding on Saturday.

→ _____

1 다음 보기에서 의미와 일치하는 단어를 고르고 세 번 쓰세요.

| drawing | find | increase | landscape | use | crayon |

01 풍경, 경치 _____ _____ _____

02 찾다 _____ _____ _____

03 그리기 _____ _____ _____

04 크레용 _____ _____ _____

05 사용하다 _____ _____ _____

06 증가하다 _____ _____ _____

2 다음 중 우리말과 같도록 빈칸에 들어갈 알맞은 말을 고르세요.

01

When I'm free, I _____ time doing my hobbies.
내가 한가할 때 나는 내 취미들을 하면서 시간을 보낸다.

① eat   ② want   ③ spend   ④ love   ⑤ give

02

Having a hobby can _____ your stress.
취미를 갖는 것은 여러분들의 스트레스를 줄여줄 수 있다.

① stay   ② increase   ③ relieve   ④ make   ⑤ hope

3 다음 영어와 우리말을 연결하세요.

01 a variety of hobbies •

• ⓐ 다양한 취미들

02 draw pictures •

• ⓑ 너 자신의 취미

03 your own hobbies •

• ⓒ 그림을 그리다

4 다음 우리말과 같도록 보기의 동사를 이용하여 빈칸에 알맞은 말을 쓰세요.

| stop | buy | eat |

01 I often go to the market _____ some vegetables.
나는 야채를 사려고 자주 시장에 간다.

02 We want _____ pizza for lunch.
우리는 점심식사로 피자 먹기를 원한다.

03 He decided _____ drinking.
그는 술을 그만 마시기로 결심했다.

5 다음 영어를 우리말로 쓰세요.

01 I like drawing pictures of people, animals, and landscapes.

→ _____

02 Having a hobby will increase your happiness.

→ _____

1 다음 보기에서 의미와 일치하는 단어를 고르고 세 번 쓰세요.

> move   follow   skill   improve   Wednesday   perform

01 공연하다 _____ _____ _____

02 따라 하다 _____ _____ _____

03 실력 _____ _____ _____

04 향상시키다 _____ _____ _____

05 수요일 _____ _____ _____

06 동작, 움직임 _____ _____ _____

2 다음 중 우리말과 같도록 빈칸에 들어갈 알맞은 말을 고르세요.

01

She _____ her dancing skills every day.

그녀는 매일 춤 실력을 연습한다.

① practices   ② takes   ③ likes   ④ works   ⑤ plays

02

She likes to perform _____ her family and friends.

그녀는 가족과 친구들 앞에서 공연하는 것을 좋아한다.

① on   ② in front of   ③ next to
④ after   ⑤ under

3 다음 영어와 우리말을 연결하세요.

01 come true •   • ⓐ 동작을 따라 하다

02 a famous superstar •   • ⓑ 유명한 슈퍼스타

03 follow the moves •   • ⓒ 실현되다

4 다음 주어진 단어를 이용하여 빈칸에 알맞은 말을 쓰세요.

01 He enjoys _____ movies. (watch)

02 I just finished _____ the dishes. (wash)

03 I started _____ Chinese last year. (learn)

04 My dad likes _____ books. (read)

5 다음 영어를 우리말로 쓰세요.

01 She watches dancing videos and follows the moves in the videos.

→ _____

02 Irene works really hard to make her dreams come true.

→ _____

1 다음 보기에서 의미와 일치하는 단어를 고르고 세 번 쓰세요.

| still | perfect | lovely | need | brown | all day |

01 하루 종일 _____ _____ _____

02 갈색(의) _____ _____ _____

03 사랑스러운 _____ _____ _____

04 필요하다 _____ _____ _____

05 아직도 _____ _____ _____

06 완벽한 _____ _____ _____

2 다음 중 우리말과 같도록 빈칸에 들어갈 알맞은 말을 고르세요.

01

He has piano _____ twice a week.

그는 일주일에 두 번 피아노 수업이 있다.

① practice ② lessons ③ ways ④ rooms ⑤ hobbies

02

Josh thinks he needs _____ practice.

조쉬는 더 연습할 필요가 있다고 생각한다.

① never ② many ③ more ④ much ⑤ most

3 다음 영어와 우리말을 연결하세요.

01 a musical instrument •

02 a perfect way •

03 on the weekends •

• ⓐ 완벽한 방법

• ⓑ 악기

• ⓒ 주말에

4 다음 중 밑줄 친 부사의 위치가 올바르지 <u>않은</u> 것을 고르세요.

① The box is <u>very</u> heavy.
② The movie was <u>really</u> fun.
③ I <u>always</u> have lunch with Mary.
④ She <u>usually</u> wears long skirts.
⑤ She <u>never</u> is late for school.

5 다음 영어를 우리말로 쓰세요.

01 He started playing the piano when he was 5 years old.

→ _____

02 His family doesn't want to listen to him play the piano on the weekends.

→ _____

1 다음 보기에서 의미와 일치하는 단어를 고르고 세 번 쓰세요.

> musician finger together member participate string

01 구성원, 회원 _____ _____ _____

02 참가하다 _____ _____ _____

03 손가락 _____ _____ _____

04 줄 _____ _____ _____

05 음악가 _____ _____ _____

06 함께 _____ _____ _____

2 다음 중 우리말과 같도록 빈칸에 들어갈 알맞은 말을 고르세요.

01

A school band is a group of _____ musicians.

학교 밴드는 학생 음악가 그룹이다.

① singer   ② student   ③ teacher   ④ artist   ⑤ writer

02

Chris is a _____ of the school band.

크리스는 학교 밴드 회원이다.

① group   ② classmate   ③ section   ④ member   ⑤ part

3 다음 영어와 우리말을 연결하세요.

01 string instruments　　　•　　　　　　　　• ⓐ 대회를 위해 연습하다

02 practice for the contest　•　　　　　　　　• ⓑ 트럼펫을 연주하다

03 play the trumpet　　　　•　　　　　　　　• ⓒ 현악기

4 다음 우리말과 같도록 괄호 안에서 알맞은 것을 고르세요.

01 (Lie down / Break down) here and take a rest.
여기 누워서 좀 쉬어라.

02 The children want to (sit down / touch down) on the floor.
아이들은 바닥에 앉고 싶어 한다.

03 My car (broke down / calm down) again.
내 차가 또 고장 났다.

04 I usually (calm down / get up) at 6 o'clock.
나는 보통 6시에 일어난다.

5 다음 영어를 우리말로 쓰세요.

01 They put their fingers over the holes on their flutes.

→ _____

02 His band is going to participate in a local contest.

→ _____

Memo

Memo

Memo

WORKBOOK

Longman

Reading

Mentor

joy 1

ANSWERS

Pearson

ANSWERS

Chapter 1 학교 생활

UNIT ① 나의 반

My school has a big playground.
나의 학교는 커다란 운동장이 있어요.

I play with my friends there during breaktime.
나는 쉬는 시간 동안 거기서 내 친구들과 놀아요.

My school has a library.
나의 학교는 도서관이 있어요.

We can borrow books at the library.
우리는 도서관에서 책을 빌릴 수 있어요.

There are many teachers at my school.
나의 학교에는 많은 선생님들이 있어요.

They are very kind and helpful.
그들은 매우 친절하고 도움이 돼요.

We love our teachers.
우리는 우리의 선생님들을 사랑해요.

My classroom is very spacious and clean. 나의 교실은 매우 넓고 깨끗해요.

There are 20 students in my class.
나의 반에는 20명의 학생들이 있어요.

My classmates are very energetic and active. 나의 반 친구들은 매우 활기차고 활동적이에요.

I get along with my classmates.
나는 반 친구들과 함께 잘 어울려요.

My class is always full of laughter.
나의 반은 항상 웃음소리로 가득해요.

I love my class very much.
나는 나의 반을 매우 많이 사랑해요.

READING CHECK

1 ②   2 ②   3 ④
4 There are 20(twenty) students
해석 및 해설
3 나의 반은 항상 웃음소리로 가득하다.
4 A: 네 반에는 학생이 얼마나 많이 있니?

WORD CHECK

1 ④   2 ⑤   3 ②   4 (1) C (2) B (3) A
해석 및 해설
2 우리는 여기서 책을 빌릴 수 있다.
3 나의 교실은 매우 넓고 깨끗하다.
4 A. 같은 반의 학생들
  B. 쉬는 기간
  C. 더럽지 않은

GRAMMAR TIME

1 ④   2 (1) many (2) much
해석 및 해설
1 *many 다음에는 복수명사가 옵니다.
2 (1) 그녀는 많은 연필을 가지고 있지 않다.
  (2) 병에 많은 물이 있니?

UNIT ② 학교 생활

How do you go to school?
당신은 학교에 어떻게 가나요?

I walk to school every day.
나는 매일 걸어서 학교에 가요.

Where is your school located?
당신 학교는 어디에 위치해 있나요?

My school is located in the center of my town.
나의 학교는 나의 마을 중심에 위치해 있어요.

What do you learn in school?
당신은 학교에서 무엇을 배우나요?

I learn math, English, science, music, and art.
나는 수학, 영어, 과학, 음악과 미술을 배워요.

I also learn values and manners.
나는 가치관과 예의범절도 배워요.

What's your favorite subject?
당신이 좋아하는 과목은 무엇인가요?

I like music and art.
나는 음악과 미술을 좋아해요.

Do you like math?
당신은 수학을 좋아하나요?

No, I don't like math.
아니요. 나는 수학을 좋아하지 않아요.

I'm really bad at it.
나는 정말로 그것을 못해요.

Do you like to go to school?
당신은 학교에 가는 것을 좋아하나요?

Yes, I do. I enjoy going to school.
예, 그래요. 나는 학교에 가는 것을 즐겨요.

READING CHECK

1 ①   2 ④   3 ②   4 ⑤

해석 및 해설
1 나는 매일 학교에 걸어간다.
  ① 나는 걸어서 학교에 간다.
  ② 나는 자전거로 학교에 간다.
  ③ 나는 자동차로 학교에 간다.
  ④ 나는 지하철로 학교에 간다.
  ⑤ 나는 아빠가 학교에 태워다 준다.
2 ① 내가 좋아하지 않는 과목
  ② 내가 좋아하는 과목
  ③ 학교 위치
  ④ 방과 후 활동
  ⑤ 학교에서 배우는 과목들

WORD CHECK

1 ②   2 ⑤   3 ②   4 ②

해석 및 해설
1 나는 매일 버스 타고 학교에 간다.
  ① 네 학교는 어디에 위치해 있니?
  ② 너는 학교에 어떻게 가니?
  ③ 너는 학교에서 무엇을 배우니?
  ④ 너는 과학을 좋아하니?
  ⑤ 너는 학교 가는 것을 좋아하니?
2 A: 네가 좋아하는 과목은 뭐니?
  *빈칸에는 과목 이름이 들어가야 합니다.
3 나는 정말로 수학을 못한다.
4 악기와 목소리로 만들어지는 소리

GRAMMAR TIME

Where   2 (1) What (2) Where (3) What (4) What

해석 및 해설
  A: 지난밤 어디에서 머물렀니?

UNIT 3 학교 운동회

Today is sports day.
오늘은 운동회예요.

There are many events like races, basketball, and tug of war.
달리기, 농구, 줄다리기 같은 많은 경기가 있어요.

A lot of students take part in the competitions. 많은 학생들이 대회에 참여해요.

David participates in a running event.
데이비드는 달리기 경기에 참여해요.

He stands at the starting line.
그는 출발선에 서 있어요.

He shoots forward at the starting signal.
그는 출발 신호에 쏜살같이 앞으로 나가요.

He is running in first place.
그는 1등으로 달리고 있어요.

Oh, no! He falls in front of the finish line.
오, 안 돼! 그가 결승선 앞에서 넘어져요.

He gets back up and runs toward the finish line. 그가 다시 일어나서 결승선으로 달려요.

David doesn't give up the race.
데이비드는 경기를 포기하지 않아요.

Students give him a big hand and his teacher gives him a hug. 학생들이 그에게 큰 박수를 보내고 선생님이 그를 안아줘요.

READING CHECK

1 ④   2 participate   3 ①   4 give up

해석 및 해설
3 데이비드 선생님이 데이비드를 자랑스러워한다.
4 그가 경기를 포기하지 않았다.

WORD CHECK

1 (1) B (2) C (3) A   2 ①   3 ④
4 (1) A (2) C (3) B

해석 및 해설
2 그들은 TV 앞에 앉아 있다.
4 A. 학교에서 공부하는 사람
  B. 누군가 주위에 양팔을 두르기
  C. 미식축구나 농구 같은 경기들

GRAMMAR TIME

1 (1) looks like (2) like (3) feel like (4) looks like (5) like

REVIEW TEST

01 ③ 02 ③ 03 ⑤ 04 ④ 05 ① 06 ③ 07 ②
08 ③ 09 ② 10 ① 11 ⑤ 12 (1) competition
(2) science (3) always 13 math 14 Where
15 a lot of

해석 및 해설

01 B: 그것은 내 동네 중심에 위치해 있다.
02 B: 나는 축구를 좋아한다.
03 공원에는 많은 _____ 있다.
   *many 다음에는 복수명사가 와야 합니다.
04 *반대말이 아닌 것을 고르세요.
[05-06]
   데이비드가 결승선 앞에서 넘어진다.
   그는 다시 일어나서 결승선으로 달린다.
   데이비드는 경기를 포기하지 않는다.
   학생들이 그에게 큰 박수를 보내고 그의 선생님이 그를 안아
   준다.
06 ① 데이비드는 달리기에 참여했다.
   ② 데이비드는 달리기를 마쳤다.
   ③ 데이비드의 선생님은 속상했다.
   ④ 학생들은 데이비드를 응원했다.
   ⑤ 데이비드는 달리기 중에 넘어졌다.
07 나는 책 읽는 것을 좋아한다.
   소나기가 쏟아질 것 같다.
08 같은 반에 학생들
09 많은 거리와 건물들이 있는 장소
10 나는 매일 학교에 걸어가.
   ① 너는 학교에 어떻게 가니?
   ② 네 학교가 어디니?
   ③ 너는 수학을 좋아하니?
   ④ 네가 좋아하는 과목이 뭐니?
   ⑤ 너는 학교 가는 거 좋아하니?
11 내 반 친구들은 _____.
   *빈칸에는 반 친구를 묘사하는 형용사가 들어가야 합니다.
12 (1) 그녀는 대회에서 1등을 했다.
   (2) 내가 좋아하는 과목은 과학이다.
   (3) 그녀는 항상 7시 30분에 도착한다.
13 A: 너는 수학을 좋아하니?
   B: 아니, 난 수학을 좋아하지 않아. 나는 그것을 정말 못해.
14 B: 나는 서울에 살아.
15 *셀 수 없는 명사와 복수명사가 모두 올 수 있는 것은
   a lot of입니다.

WORD MASTER

01 운동장 02 활동적인 03 쉬는 시간
04 중심 05 반 친구 06 대회
07 ~ 동안 08 활기찬 09 경기
10 웃음소리 11 예의범절 12 참가하다
13 신호 14 넓은 15 과목

Chapter 2 직업

UNIT 1 장래희망

Julie likes playing the violin.
줄리는 바이올린을 연주하는 것을 좋아해요.

She practices the violin every day except on Saturdays and Sundays.
그녀는 토요일과 일요일을 빼고 매일 바이올린을 연습해요.

She won first prize in the music competition last month.
그녀는 지난달에 음악 대회에서 1등을 했어요.

She wants to be a violinist.
그녀는 바이올린 연주자가 되고 싶어요.

Becoming a violinist is not easy, but she will do her best. 바이올린 연주자가 되는 것은 쉽지 않지만 그녀는 최선을 다할 거예요.

My brother Tony is a high school student.
내 형 토니는 고등학교 학생이에요.

He wants to be a pharmacist.
그는 약사가 되고 싶어요.

He wants to make medicine to cure cancer. 그는 암을 치료하는 약을 만들고 싶어요.

He studies science and math very hard.
그는 과학과 수학을 매우 열심히 공부해요.

It is not easy to be a pharmacist.
약사가 되는 것은 쉽지 않아요.

I hope he will realize his dream.
나는 그의 꿈이 이루어지기를 바라요.

READING CHECK

1 ⑤   2 ③   3 ③

4 to be a pharmacist

해석 및 해설

1 ① 나의 형   ② 학교 생활
   ③ 악기들   ④ 좋아하는 과목들
   ⑤ 장래희망
2 *사람 접미사 -ist가 오지 않는 단어를 고르세요.
   bake – baker
3 ① 줄리는 일주일에 5일 바이올린을 연습한다.
   ② 줄리는 지난달 음악 대회에 참여했다.

③ 줄리는 학교 오케스트라 단원이다.
④ 토니는 고등학교에 다닌다.
⑤ 약사가 되는 것은 쉽지 않다.

4 A: 토니는 장래에 뭐가 되고 싶니?

WORD CHECK

1 ②   2 ⑤   3 ④   4 (1) high (2) easy

해석 및 해설

1 그녀는 토요일과 일요일을 빼고 매일 바이올린을 연습한다.
2 이것은 나무로 만들어졌고 4개의 줄이 있다.
   우리는 이것을 연주하기 위해 활이 필요하다.
   우리는 이것을 우리 턱 밑에 받친다.
3 나는 두통이 있다. 나는 약이 좀 필요하다.

GRAMMAR TIME

1 ③   2 (1) tourists (2) a musician (3) science

해석 및 해설

2 (1) 박물관 안에는 많은 관광객들이 있다.
   (2) 그녀는 커서 음악가가 되고 싶다.
   (3) 내가 좋아하는 과목은 과학이다.

UNIT 2 장래 직업

John's class visited the fire station last week. 존의 반은 지난주에 소방서를 방문했어요.

They had a chance to look around the fire station.
그들은 소방서를 둘러볼 기회가 있었어요.

The firefighters work day and night.
소방관들은 밤낮으로 일해요.

They wear special clothes to keep them safe from the fire. 그들은 화재에서 그들을 안전하게 지켜줄 특별한 옷을 입어요.

They also wear special helmets.
그들은 또한 특별한 헬멧을 써요.

There are fire trucks in the fire station.
소방서에는 소방차들이 있어요.

Firefighters use special equipment to put out fires.
소방관들은 불을 끄는 특별한 장비를 사용해요.

One of the firefighters let John hold the hose. 소방관 중 한 분은 존에게 호스를 잡도록 했어요.

The firefighter turned on the hose and the hose went flying out of John's hands. 그 소방관은 호스를 켰고, 호스는 존의 손에서 날아갔어요.

It was too heavy for him! 그것은 그에게 너무 무거웠어요!

After spending the day at the fire station, John really wants to be a firefighter when he grows up! 하루를 소방서에서 보낸 후 존은 커서 정말로 소방관이 되고 싶어 해요!

READING CHECK

1 ④　　2 ⑤　　3 ②　　4 ②

해석 및 해설

1 ① 소방관은 불을 끌 때 특별한 옷을 입는다.
　② 호스는 너무 무거워서 존이 잡고 있을 수 없었다.
　③ 존의 반은 소방서를 방문했다.
　④ 존의 삼촌은 소방관이다.
　⑤ 존은 커서 소방관이 되기를 원한다.
2 존은 그의 반 친구들과 소방관을 방문했다.
3 호스는 존의 손에서 날아갔다.

WORD CHECK

1 ②　　2 ⑤　　3 ①　　4 (1) B (2) C (3) A

해석 및 해설

1 오늘은 덥다. 에어컨을 켜라.
2 소방관들은 머리를 보호하기 위해 특별한 헬멧을 쓴다.
4 A. 고무로 만들어진 긴 관
　B. 해가 진 이후
　C. 셔츠, 코트, 반바지와 드레스

GRAMMAR TIME

1 ⑤　　2 (1) put out (2) Turn off (3) wait for

해석 및 해설

1 A: 내 새 헤어스타일이 어때?
　B: 좋아 보여.
2 (1) 소방관은 빠르게 불을 껐다.
　(2) 밖에 나갈 때 불을 꺼라.
　(3) 학교에 가는 다음 버스를 기다리자.

UNIT 3 제이슨 씨

Mr. Jason is a bus driver.
제이슨 씨는 버스 운전사예요.

He has been driving a bus for 20 years.
그는 20년 동안 버스를 운전하고 있어요.

He drives a bus for 8 hours every day.
그는 매일 8시간 동안 버스를 운전해요.

He shuttles passengers back and forth from the airport to hotels around downtown. 그는 공항에서 시내에 있는 호텔들로 왕복하며 승객들을 데려다 줘요.

Passengers like Mr. Jason because he's kind and drives carefully. 승객들은 제이슨 씨가 친절하고 조심스럽게 운전해서 그를 좋아해요.

It is 8:00 a.m. 지금 오전 8시예요.

He is going to the airport now.
그는 지금 공항을 향해 가고 있어요.

There is a lot of traffic on the road.
도로에는 차량이 많아요.

Mr. Jason likes his job, but he doesn't like heavy traffic. 제이슨 씨는 그의 일을 좋아하지만 교통체증은 좋아하지 않아요.

He hopes more people use public transportation such as buses and subways. 그는 더 많은 사람들이 버스나 지하철 같은 대중교통을 이용하기를 바라요.

READING CHECK

1 (1) T (2) F (3) T　　2 ④　　3 ①
4 kind and drives carefully

해석 및 해설

1 (1) 제이슨 씨는 주의 깊은 운전자다.
　(2) 제이슨 씨는 항상 대중교통을 이용한다.
　(3) 제이슨 씨는 지금 공항을 향해 버스를 운전하고 있다.
4 A: 왜 승객들이 제이슨 씨를 좋아하니?

WORD CHECK

1 ④　　2 ②　　3 ③　　4 ①

해석 및 해설

1 도로에 많은 자동차들이 있다.
4 지하의 철도

GRAMMAR TIME

1 (1) at (2) on (3) at (4) in (5) in (6) in (7) during

해석 및 해설

1 (1) 우리는 8시 30분에 아침식사를 한다.
(2) 그들은 토요일에 야구를 한다.
(3) 나는 밤에 책을 읽는다.
(4) 그는 2011년에 태어났다.
(5) 나는 아침에 일찍 일어난다.
(6) 8월에는 매우 덥다.
(7) 나는 휴가 동안 무척 즐거웠다.

REVIEW TEST

01 ④ 02 ② 03 ③ 04 ① 05 ⑤ 06 ③ 07 ②
08 ② 09 ④ 10 ⑤ 11 ③ 12 (1) carefully
(2) medicine (3) day and night 13 the hose 14 on
15 (1) technician (2) driver (3) tourist (4) visitor

해석 및 해설

01 *-er, -ist, -or 등은 사람을 나타내는 접미사입니다.
04 우리는 7시에 저녁을 먹는다.
나는 일요일에 피아노 레슨이 있다.
*시각 앞에는 at, 요일 앞에는 on이 옵니다.

[05-06]
줄리는 바이올린을 연주하는 것을 좋아한다.
그녀는 토요일과 일요일을 빼고 매일 바이올린을 연습한다.
그녀는 지난달에 음악 대회에서 1등을 했다.
그녀는 바이올린 연주자가 되고 싶다.
바이올린 연주자가 되는 것은 쉽지 않지만 그녀는 최선을 다할 것이다.

05 ① 줄리는 바이올린 연주하는 것을 좋아한다.
② 줄리는 일주일에 5일 바이올린을 연습한다.
③ 줄리는 바이올린 연주를 잘한다.
④ 줄리는 그녀의 꿈이 이루어지도록 최선을 다할 것이다.
⑤ 줄리는 다음 주에 음악 경연대회에 참여할 것이다.

06 ① 그녀는 매 주말마다 바이올린을 연습한다.
② 그녀는 하루종일 바이올린을 연습한다.
③ 그녀는 주말에는 바이올린을 연습하지 않는다.
④ 그녀는 주중에 바이올린을 연습하지 않는다.
⑤ 그녀는 일주일에 7일 바이올린을 연습한다.

07 토니는 엘리베이터를 기다리고 있다.
그는 매일 8시간 동안 버스를 운전한다.

08 강한 재료로 만들어진 모자

09 승객들을 위한 커다란 차량

10 수업 중에 떠들지 마라.

11 도로에 차들이 정체되고 있다.

12 (1) 귀 기울여 들어 주세요.
(2) 이것은 네 두통약이다.
(3) 나는 밤낮으로 영어공부를 한다.

13 소방관들은 호스를 켰고, 그 호수는 존의 손에서 날아갔다.
이것은 그에게 너무 무겁다.

14 오늘은 덥다. 에어컨을 켜자.

15 (1) 기술자 (2) 운전사 (3) 관광객 (4) 방문객

WORD MASTER

01 공항 02 암 03 치료하다
04 시내 05 꿈 06 장비
07 약 08 승객 09 약사
10 연습하다 11 이루어지다 12 안전한
13 실어 나르다 14 특별한 15 지하철

Chapter 3 랜드마크

*어떤 지역을 대표하거나 구별하게 하는 표지

UNIT 1 커다란 서점

 Hi, Mike. 안녕, 마이크.

Hi, Jimin. Where are you calling from now?
안녕, 지민. 지금 어디에서 전화하는 거야?

I'm at Sunny Station. I just got off the subway.
난 써니역에 있어. 지금 막 지하철에서 내렸어.

Do you know where my office is?
내 사무실이 어디에 있는지 아니?

No, I don't. This is my first visit.
아니, 몰라. 이번이 처음 방문하는 거야.

Are there any landmarks around your office?
네 사무실 주변에 어떤 랜드마크가 있니?

There is a big bookstore next to my office.
내 사무실 옆에 커다란 서점이 있어.

How far is it?
얼마나 먼데?

It's not that far.
그렇게 멀지 않아.

It's a five-minute walk from the subway station. 지하철에서 걸어서 5분이야.

Okay. I'll call you again when I get to the bookstore.
알았어. 내가 그 서점에 도착하면 다시 전화할게.

READING CHECK

1 (1) Yes (2) No (3) No (4) No   2 ④
3 got off   4 It's a five-minute walk

해석 및 해설
1 (1) 지민은 지하철을 이용했니?
  (2) 지민은 전에 마이크 사무실에 방문했니?
  (3) 마이크는 서점에서 일하니?
  (4) 마이크 사무실은 지하철역 옆에 있니?
4 A: 써니역에서 마이크 사무실까지 얼마나 걸리니?

WORD CHECK

1 ③   2 ④   3 ③   4 (1) far (2) big

해석 및 해설
1 B: 나는 서점에 가고 있어.
2 고양이는 상자 옆에 있다.
3 사람들이 일하는 방이나 건물

GRAMMAR TIME

1 ②   2 ④

해석 및 해설
1 B: 10달러야.
2 *how many 다음에는 복수명사가 와야 합니다.

UNIT 2 자유의 여신상

The Statue of Liberty is on Liberty Island in New York.
자유의 여신상은 뉴욕의 리버티 아일랜드에 있어요.

It is a symbol of freedom.
그것은 자유의 상징이에요.

It is a very tall statue of a woman.
그것은 매우 키가 큰 여인상이에요.

The height of the Statue of Liberty is about 93 meters.
자유의 여신상의 높이는 대략 93미터예요.

Lots of tourists visit the Statue of Liberty.
많은 관광객들이 자유의 여신상을 방문해요.

The Statue of Liberty is green.
자유의 여신상은 초록이에요.

The Statue of Liberty is wearing a crown on her head with 7 spikes on it. 자유의 여신상은 머리에 7개의 스파이크가 있는 왕관을 쓰고 있어요.

The spikes represent the 7 seas and 7 continents of the world.
스파이크는 세계의 7개의 바다와 7개의 대륙을 대표해요.

The Statue of Liberty is holding a torch in her right hand.
자유의 여신상은 오른손에 횃불을 들고 있어요.

The Statue of Liberty is one of the most famous landmarks in New York.
자유의 여신상은 뉴욕의 가장 유명한 랜드마크 중의 하나예요.

1 (1) T (2) T (3) F   2 ③   3 ④   4 a torch

해석 및 해설

1 (1) 자유의 여신상은 뉴욕에 있다.
  (2) 자유의 여신상은 관광객들에게 개방된다.
  (3) 자유의 여신상의 높이는 100m 이상이다.
4 A: 자유의 여신상은 오른손에 무엇을 들고 있니?

WORD CHECK

1 ②   2 (1) tall (2) right   3 ③   4 head

해석 및 해설

1 타워의 높이는 55m다.
3 그는 오른손에 책을 들고 있다.
4 이것은 몸에서 가장 높은 부분이다.
  이것은 여러분의 눈, 코 그리고 머리카락이 있는 부분이다.

GRAMMAR TIME

1 ④
2 (1) Kevin, April (2) English, Thursday (3) Christmas

해석 및 해설

2 (1) 케빈과 나는 4월에 태어났다.
  (2) 우리는 월요일과 목요일에 영어를 공부한다.
  (3) 우리는 크리스마스에 함께 저녁식사를 한다.

UNIT 3 에펠 타워

Today we're going to learn about the Eiffel Tower.
오늘 우리는 에펠 타워에 대해 배울 거예요.

The Eiffel Tower is in Paris.
에펠 타워는 파리에 있어요.

Paris is the capital of France.
파리는 프랑스의 수도예요.

The Eiffel Tower is the tallest building in Paris.   에펠 타워는 파리에서 가장 높은 건물이에요.

The Eiffel Tower is about 300 meters tall.
에펠 타워는 약 300m 높이예요.

The Eiffel Tower has an elevator.
에펠 타워는 엘리베이터가 있어요.

The elevator brings people to the top level of the tower.
엘리베이터는 사람들을 타워 꼭대기로 데리고 와요.

The Eiffel Tower is made of iron and it looks like a huge A.
에펠 타워는 철로 만들어졌고, 커다란 A처럼 생겼어요.

There are 1,665 steps to the top of the Eiffel Tower.
에펠 타워는 꼭대기까지 1,665개의 계단이 있어요.

There are over 2,000 light bulbs on the Eiffel Tower.
에펠 타워에는 2,000개가 넘는 전구가 있어요.

About 7 million people visit the Eiffel Tower every year.
대략 700만 사람들이 매년 에펠 타워를 방문해요.

The Eiffel Tower is a must-visit place.
에펠 타워는 꼭 방문해 봐야 하는 곳이에요.

READING CHECK

1 ④   2 ②   3 like a huge A   4 ⑤

해석 및 해설

1 ① 많은 사람들이 매년 에펠 타워를 방문한다.
  ② 파리는 프랑스의 수도다.
  ③ 에펠 타원의 높이는 대략 300m다.
  ④ 에펠 타워는 돌로 만들어 졌다.
  ⑤ 에펠 타워에는 엘리베이터가 있다.
3 A: 에펠 타워는 무엇처럼 생겼니?
4 그래서 우리는 밤에 에펠 타워를 볼 수 있다.

WORD CHECK

1 ④   2 ②   3 (1) tallest (2) capital (3) about
4 elevator

해석 및 해설

1 그는 산 꼭대기까지 올라갔다.
2 그 나무는 대략 5m 높이이다.
3 (1) 샘은 그의 형제들 중에 가장 키가 크다.
  (2) 서울은 한국의 수도다.
  (3) 그 거북이는 대략 100살이다.
4 우리는 건물에서 이것을 볼 수 있다.
  이것은 건물에서 사람들을 위아래로 옮긴다.
  이것은 상자처럼 생겼다.

1 ③ **2** (1) warmer (2) strongest (3) tallest (4) smaller

해석 및 해설

2 (1) 3월은 2월보다 더 따뜻하다.

(2) 그는 학교에서 가장 힘이 센 소년이다.

(3) 그 타워는 도시에서 가장 높은 건물이다.

(4) 이 방은 저 방보다 더 작다.

REVIEW TEST

01 ③ **02** ⑤ **03** ② **04** ② **05** ⑤ **06** ② **07** ③

08 ③ **09** ③ **10** ④ **11** ⑤ **12** ④ **13** (1) top

(2) office (3) next to **14** taller **15** (1) best (2) worse

해석 및 해설

01 *large의 최상급은 largest입니다.

02 너는 얼마나 많은 돈이 있니?

*much 다음에는 셀 수 없는 명사가 옵니다.

03 A: 그녀는 몇 살이니?

B: 그녀는 9살이야.

04 저것은 한국에서 가장 긴 다리다. / 이 방은 저 방보다 더 크다.

*최상급과 비교급 순으로 와야 합니다.

[05-06]

자유의 여신상은 뉴욕의 리버티 아일랜드에 있다.

그것은 자유의 상징이다.

그것은 매우 키가 큰 여인상이다.

자유의 여신상의 높이는 대략 93미터다.

자유의 여신상은 관광객들에게 개방된다.

자유의 여신상은 초록이다.

자유의 여신상은 뉴욕의 가장 유명한 랜드마크 중의 하나다.

05 ① 뉴욕에는 리버티 아일랜드가 있다.

② 우리는 자유의 여신상을 방문할 수 있다.

③ 자유의 여신상은 뉴욕에 위치해 있다.

④ 자유의 여신상은 약 93m 높이다.

⑤ 자유의 여신상은 파란색이다.

07 얼마나 많은 치즈가 필요하니? / 무척 고마워.

08 물로 둘러싸인 땅

09 어두운 회색의 금속

10 에펠 타워는 300m 높이다.

11 자유의 여신상은 오른손에 횃불을 들고 있다.

12 대략 700만 명의 사람들이 매년 에펠 타워를 방문해.

① 에펠 타워는 어디에 있니?

② 에펠 타워는 얼마나 높니?

③ 에펠 타워에는 얼마나 많은 계단이 있니?

④ 매년 얼마나 많은 사람들이 에펠 타워를 방문하니?

⑤ 에펠 타워는 무엇으로 만들어졌니?

13 (1) 산 정상의 공기는 매우 상쾌했다.

(2) 그의 사무실은 5층에 있다.

(3) 그 선글라스는 잡지 옆에 있다.

14 제임스는 샐리보다 키가 더 크다.

WORD MASTER

01 서점	**02** 수도	**03** 대륙
04 관, 왕관	**05** 엘리베이터	**06** 유명한
07 자유	**08** 높이	**09** 들다
10 백만	**11** 사무실	**12** 대표하다
13 동상	**14** 횃불	**15** 관광객

Chapter 4 교통

⑤ 사라와 테드는 지하철로 여행하는 것을 좋아하지 않는다.

4 A: 왜 사라와 테드는 지하철로 여행하는 것을 좋아하니?

UNIT 1 지하철로

Sara and Ted go to the museum by subway. 사라와 테드는 지하철로 박물관에 가요.

There are many people at the subway station. 지하철역에는 많은 사람들이 있어요.

They buy their tickets at the ticket vending machine.
그들은 표 자동판매기에서 표를 사요.

They take the escalator to go underground.
그들은 에스컬레이터를 타고 지하로 내려가요.

Sara and Ted wait for the subway behind the yellow line.
사라와 테드는 노란 선 뒤에서 지하철을 기다려요.

The subway is entering the station.
지하철이 역으로 들어오고 있어요.

The subway doors open and they wait for the passengers to get off first. 지하철 문이 열리고 그들은 승객들이 먼저 내리기를 기다려요.

They get on the subway.
그들은 지하철을 타요.

The subway is very crowded and all the seats are taken.
지하철은 매우 붐비고 빈자리가 없어요.

They like traveling by subway because it is a very convenient mode of transportation. 그들은 지하철이 매우 편리한 교통수단이기 때문에 지하철로 여행하는 것을 좋아해요.

READING CHECK

1 ③　　2 ①　　3 get off
4 is a very convenient mode of transportation
해석 및 해설
1 ① 지하철에는 많은 사람이 있지 않다.
　② 그들은 엘리베이터를 타고 지하로 내려간다.
　③ 지하철의 모든 좌석에 사람이 있다.
　④ 사라와 테드는 약 10분 동안 지하철을 기다린다.

WORD CHECK

1 ①　　2 ⑤　　3 (1) museum　(2) wait for　(3) tickets
4 (1) B　(2) C　(3) A
해석 및 해설
1 나는 학교에 버스를 타고 간다.
2 지하철은 승객들로 붐빈다.
3 (1) 박물관에는 많은 그림들이 있다.
　(2) 학교에 가는 다음 버스를 기다리자.
　(3) 너는 얼마나 많은 표를 원하니?
4 A. 땅 표면 아래
　B. 승객들을 태우기 위해 기차가 멈추는 장소
　C. 움직이는 계단

GRAMMAR TIME

1 ②
2 (1) 네 일은 설거지하는 것이다.
　(2) 그는 지금 설거지를 하고 있다.
　(3) 거짓말을 하는 것은 나쁘다.
　(4) 그녀는 그에게 거짓말을 하고 있다.
해석 및 해설
1 ① 그녀는 갑자기 울기 시작했다.
　② 그 소년들은 축구를 하고 있다.
　③ 그의 취미는 책을 읽는 것이다.
　④ 나의 직업은 건물을 디자인하는 것이다.
　⑤ 폴은 만화 그리기를 좋아한다.

UNIT 2 교통수단 종류들

Trains run on railroad tracks.
기차는 철로에서 달려요.

Trains carry people from one place to another.
기차는 한 장소에서 다른 장소로 사람들을 실어 날라요.

Some trains carry goods from one place to another. 어떤 기차들은 한 장소에서 다른 장소로 상품들을 실어 날라요.

Some trains are very fast.
어떤 기차들은 매우 빨라요.

They travel at speeds of 365 km per hour.
그들은 시간당 365km의 속도로 여행해요.

Airplanes fly in the sky.
비행기는 하늘에서 날아요.

Airplanes have wings and one or more engines.
비행기는 날개가 있고 하나나 그 이상의 엔진이 있어요.

We use airplanes to travel long distances.
우리는 장거리 여행에 비행기를 이용해요.

Airplanes are the fastest way to make long trips.
비행기는 장거리 여행을 하는 가장 빠른 방법이에요.

Ships move on water.
배는 물 위에서 움직여요.

Some ships transport oil and some ships transport passengers.
어떤 배들은 기름을 수송하고 어떤 배들은 승객들을 날라요.

Cruise ships are very big and they are called "sea hotels." 유람선은 매우 큰데, 우리는 그것을 '바다 위의 호텔'이라고 불러요.

They have hundreds of cabins, elevators, and recreation facilities. 그것들은 수백 개의 객실과 엘리베이터, 그리고 오락 시설들이 있어요.

What kinds of transportation do you use?
당신은 어떤 교통수단을 이용하나요?

READING CHECK

1 ③   2 (1) Yes (2) No   3 ④   4 airplane

해석 및 해설
1 ① 어떤 배들은 기름을 수송한다.
  ② 기차는 철로 위를 움직일 수 있다.
  ③ 모든 비행기는 엔진이 두 개다.
  ④ 어떤 배들은 매우 크고 많은 방이 있다.
  ⑤ 어떤 기차는 시간당 300km가 넘는 속도로 여행한다.
2 (1) 기차는 한 장소에서 다른 장소로 사람들을 실어 나르니?
  (2) 비행기는 오락 시설들을 가지고 있니?
4 A: 가장 빠른 교통수단은 뭐니?

WORD CHECK

1 ④   2 ①   3 (1) water (2) sky (3) elevator
4 (1) B (2) C (3) A

해석 및 해설
1 여기서 네 학교까지 얼마나 걸리니?
2 새는 두 개의 날개가 있다.
3 (1) 물을 좀 주시겠어요?
  (2) 태양이 하늘 높이 떠 있다.
  (3) 그 건물은 엘리베이터가 없다.
4 A. 하늘을 나는 탈것
  B. 한 곳에서 다른 곳으로 여행하는 것
  C. 많은 방이 있는 건물

GRAMMAR TIME

1 (1) What music (2) What sport (3) What mountain
2 ⑤

해석 및 해설
2 나는 피자가 먹고 싶어.
  ① 너는 어떤 음악을 연주하고 있니?
  ② 너는 지금 무엇을 먹고 있니?
  ③ 너는 어떤 과일을 좋아하니?
  ④ 너는 어떤 종류의 피자를 원하니?
  ⑤ 너는 어떤 종류의 음식을 먹고 싶니?

UNIT 3 안전 규칙

Let's learn the safety rules.
안전 규칙을 배워 보아요.

Cross the street when the traffic light turns green.
길은 신호등이 초록으로 바뀔 때 건너요.

Look both ways when you cross the street. 길을 건널 때는 양쪽 길을 봐요.

Don't cross the street when the traffic light turns red.
신호등이 빨간색으로 바뀔 때 길을 건너지 말아요.

Never cross the road when vehicles are passing by.
차가 지나갈 때는 도로를 절대 건너지 말아요.

It may lead to a serious accident.
그것은 심각한 사고를 일으킬 수 있어요.

Don't use your mobile phone while walking or riding any vehicles. 걷거나 탈것을 타고 있는 동안에는 휴대폰을 사용하지 말아요.

Don't put your hands out the window of a moving vehicle.
움직이는 차량 창문 밖으로 손을 내밀지 말아요.

Always use the sidewalk.
항상 보도를 이용해요.

Wear a helmet when you ride a bike.
자전거를 탈 때는 헬멧을 착용해요.

It protects you from injury.
그것은 부상에서 여러분을 보호해요.

The safe way is the best way.
안전한 방법이 최선의 방법이에요.

READING CHECK

1 ④   2 ③   3 ③   4 ①

해석 및 해설
4 움직이는 차의 창문 밖으로 손을 내미는 것은 위험하다.

WORD CHECK

1 ⑤   2 ③   3 ②   4 ③

해석 및 해설
1 존은 교통사고로 다리가 부러졌다.
2 그는 커서 비행기 조종사가 되고 싶다.
3 도시, 동네, 마을에 있는 도로
4 ① 항상 보도를 이용해라.
② 신호등이 빨간색으로 바뀔 때 건너지 마라.
③ 운전 중에 휴대폰을 사용하지 마라.
④ 자동차가 지나갈 때 도로를 절대 건너지 마라.
⑤ 자전거 탈 때 안전모를 써라.

GRAMMAR TIME

1 ②
2 (1) 그는 내가 샤워를 하고 있는 동안 전화했다.
(2) 너는 커서 무엇이 되고 싶니?
(3) 길을 건널 때 주의해라.

해석 및 해설
1 그녀는 어렸을 때 정말 아름다웠다.

REVIEW TEST

01 ②   02 ③   03 ②   04 ①   05 ④   06 ②   07 ⑤
08 ②   09 ③   10 ⑤   11 ②   12 ④   13 (1) protect
(2) travel   (3) injury   14 Wearing a helmet   15 What

해석 및 해설
01 ① 나는 책을 읽는 것을 좋아한다.
② 그녀는 지금 컴퓨터 게임을 하고 있다.
③ 내 취미는 영화를 보는 것이다.
④ 그의 일은 영어를 가르치는 것이다.
⑤ 거짓말을 하는 것은 나쁘다.
*동명사와 현재진행형을 구분해 보세요.
02 B: 나는 야구를 좋아해.
03 그는 TV를 보면서 커피를 마신다.
04 자유로울 때 나에게 전화해라.
너는 어떤 과일을 사고 싶니?
[05-06]
길은 신호등이 초록으로 바뀔 때만 건너라.
길을 건널 때는 양쪽 길을 봐라.
신호등이 빨간색으로 바뀔 때 길을 건너지 마라.
차가 지나갈 때는 도로를 절대 건너지 마라.
그것은 심각한 사고를 일으킬 수 있다.
걷거나 탈것을 타고 있는 동안에는 휴대폰을 사용하지 마라.
05 ① 길을 걸어내려 가는 것
② 전화로 통화하는 것
③ 탈것을 타는 것
④ 자동차가 지나갈 때 도로를 건너는 것
⑤ 길을 건널 때 네 핸드폰을 사용하는 것
07 우리는 먼 거리를 여행하려고 비행기를 이용한다.
비행기는 긴 거리 여행의 가장 빠른 방법이다.
08 자동차, 버스, 택시 같은 것
09 탈것으로 이동하는 사람
10 그들은 버스에 타고 있다.
11 케빈은 너무 많이 먹기 때문에 뚱뚱하다.
12 나는 포테이토 파지를 원한다.
① 너는 어떤 음악을 연주하니?
② 너는 지금 뭐를 먹고 있니?
③ 너는 어떤 과일을 먹고 싶니?
④ 너는 어떤 종류의 피자를 원하니?
⑤ 너는 어떤 스포츠를 가장 좋아하니?
13 (1) 우리는 야생동물을 보호해야 한다.
(2) 나는 세계 곳곳을 여행하고 싶다.
(3) 그의 부상은 심각하지 않다.
14 자전거를 탈 때 헬멧을 써라.
그것은 너는 부상에서 보호한다.
15 A: 너는 어떤 동물을 좋아하니?
B: 나는 개를 좋아해.

Chapter 5 활동

UNIT 1 종이비행기

Airplanes are flying in the air.
비행기들이 공중에 날고 있어요.

There are no pilots in the airplanes.
그 비행기들에는 조종사가 없어요.

The airplanes are made of paper.
그 비행기들은 종이로 만들어졌어요.

They are paper airplanes.
그것들은 종이비행기예요.

Peter is flying paper airplanes at the park.
피터는 공원에서 종이비행기를 날리고 있어요.

Some paper airplanes fly very straight.
어떤 종이비행기는 매우 똑바로 날아가요.

Some paper airplanes stay in the air for a long time.
어떤 종이비행기는 오랫동안 공중에 머물러요.

Peter's hobby is making and flying paper airplanes.
피터의 취미는 종이비행기를 만들고 날리는 거예요.

Peter makes and flies paper airplanes when he's free.
피터는 여유가 있을 때 종이비행기를 만들고 날려요.

He makes many different styles of paper airplanes.
그는 많은 다양한 스타일의 종이비행기를 만들어요.

He feels good when he watches the paper airplanes flying in the air.
그는 종이비행기가 공중에 날고 있는 것을 보면 기분이 좋아요.

Making and flying paper airplanes are very fun.
종이비행기를 만들고 날리는 것은 매우 재미있어요.

READING CHECK

1 ③   2 ②   3 (1) No (2) Yes
4 flying paper airplanes

3 (1) 피터는 매주 일요일에 종이비행기를 날리니?

   (2) 피터는 그가 한가할 때 종이비행기를 날리니?

4 A: 피터는 공원에서 무엇을 하고 있니?

WORD CHECK

1 ④　2 ①　3 ②　4 ③

해석 및 해설

1 A: 너는 내일 뭐할 거야?

　B: 나는 집에 머물러 있을 거야.

2 A: 너는 여유 있을 때 주로 뭐하니?

　B: 나는 책을 읽어.

3 우리는 이것 위에 글을 쓴다.

　책의 페이지는 이것으로 만들어졌다.

GRAMMAR TIME

1 (1) They (2) them (3) it (4) They (5) It

해석 및 해설

1 (1) 앤디는 그의 친구들과 휴가를 간다. 그들은 비행기 표가 필
　　요하다.

　(2) 방에 많은 소년들이 있다. 나는 그들을 매우 사랑한다.

　(3) 그는 그의 시계를 잃어버렸다. 너는 그것을 봤니?

　(4) 톰과 브라운은 내 친구들이다. 그들은 매우 부지런하다.

　(5) 그녀는 내게 사과를 줬다. 그것은 빨간 사과였다.

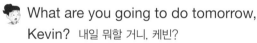

UNIT ② 스케이트보드 타기

 What are you going to do tomorrow, Kevin? 내일 뭐할 거니, 케빈?

 I'm going to go skateboarding at the park. 나는 공원에 스케이트보드 타러 갈 거야.

What are you going to go skateboarding with? 누구랑 함께 스케이트보드 타러 갈 거야?

I'm going to go skateboarding with my dad. 나는 아빠랑 스케이트보드 타러 갈 거야.

How long have you been skateboarding? 넌 얼마나 오래 스케이트보드를 탔어?

I started 2 years ago. 난 2년 전에 시작했어.

 How often do you go skateboarding? 얼마나 자주 스케이트보드를 타러 가니?

 I go once a week. 일주일에 한 번 가.

I usually go skateboarding on Saturday. 주로 토요일에 스케이트보드를 타러 가.

Do you want to join us, Cindy? 너도 우리랑 함께 할래, 신디?

I'd love to, but I have to attend my uncle's wedding. 그러고 싶은데 삼촌 결혼식에 참석해야 해.

Oh, I see. 오, 알았어.

READING CHECK

1 ⑤　2 ③　3 (1) No (2) No

4 attend her uncle's wedding

해석 및 해설

2 케빈은 아빠와 함께 스케이트보드를 타러 갈 것이다.

3 (1) 케빈은 일요일에 스케이트보드를 타니?

   (2) 케빈은 내일 공원에서 신디를 만날 거니?

4 A: 신디는 내일 뭐할 거니?

WORD CHECK

1 ④　2 ④　3 ②　4 but

해석 및 해설

1 A: 얼마나 자주 피아노 연습을 하니?

　B: 일주일에 두 번 피아노 연습을 해.

2 나는 보통 토요일에 낚시하러 간다.

　*[go+-ing] 형은 '~하러 가다'라는 의미로 go의 목적을 나타
　냅니다.

3 오늘 다음 날

4 A: 너는 우리랑 야구할 수 있니, 신디?

　B: 그러고 싶은데 내 숙제를 다 해야 해.

GRAMMAR TIME

1 ⑤　2 ④

해석 및 해설

1 A: 도시의 타워는 얼마나 높니?

　B: 대략 150미터 높이야.

2 A: 너는 얼마나 자주 저녁 먹으러 나가니?

I have a variety of hobbies, such as drawing pictures, playing the piano, reading, and doing sports.
나는 그림 그리기, 피아노 치기, 독서와 스포츠 하기 같은 여러 가지의 취미를 가지고 있어요.

When I'm free, I spend time doing my hobbies.
내가 한가할 때 나는 내 취미들을 하면서 시간을 보내요.

Drawing is my most favorite hobby.
그리기가 내가 가장 좋아하는 취미예요.

I like drawing pictures of people, animals, and landscapes.
나는 사람들, 동물, 풍경 그림 그리는 것을 좋아해요.

I use crayons and colored pencils to draw pictures.
나는 크레용과 색연필을 사용해서 그림을 그려요.

I feel happy when I do my hobbies.
나는 취미를 할 때 행복해요.

I hope all of you can find your own hobbies and have fun from them.
나는 여러분 모두가 자신의 취미를 찾고 그것에서 즐거움을 얻기를 바라요.

Having a hobby will increase your happiness.
취미를 갖는 것은 여러분의 행복을 증가시킬 거예요.

Having a hobby can relieve your stress.
취미를 갖는 것은 여러분들의 스트레스를 줄여줄 수 있어요.

READING CHECK

1 ④   2 ③   3 ⑤   4 happiness

해석 및 해설
1 ① 나는 크레용으로 그림을 그린다.
  ② 나는 한가할 때 피아노를 친다.
  ③ 나는 내 취미로 재미있다.
  ④ 나는 야외 스포츠 하는 것을 좋아하지 않는다.
  ⑤ 취미를 갖는 것은 정신 건강에 좋다.
4 A: 취미를 갖는 것의 이로운 점은 뭐니?

WORD CHECK

1 ③   2 (1) favorite (2) spend (3) draw
3 ②   4 when

해석 및 해설
1 A: 네가 좋아하는 한국 음식은 뭐니?
2 (1) 내가 좋아하는 스포츠는 야구다.
  (2) 나는 시골에서 방학을 보내고 싶다.
  (3) 너는 직사각형을 그릴 수 있니?
3 한가한 시간에 즐기는 활동
4 나는 한가할 때 취미를 하면서 시간을 보낸다.
  나는 너를 보면 행복하다.

GRAMMAR TIME

1 (1) to study (2) to travel (3) to buy
2 (1) 나는 피아노 치는 것을 좋아한다.
  (2) 그는 야채를 좀 사려고 시장에 간다.
  (3) 나는 점심으로 피자를 먹고 싶다.

REVIEW TEST

01 ⑤   02 ③   03 ②   04 ①   05 ⑤   06 ②   07 ②
08 ④   09 ②   10 ③   11 ③   12 ②
13 (1) attend (2) draw (3) crayons   14 twice
15 How long

해석 및 해설
01 나는 야채를 좀 사려고 시장에 갔다.
02 그는 커피 마시기를 그만두기로 결심했다.
03 A: 너는 얼마나 자주 기타를 연습하니?
   B: 일주일에 한 번 기타 연습을 해.
04 A: 여기서 네 학교는 얼마나 머니?
   B: 버스로 대략 10분 걸려.
[05-06]
   피터는 공원에서 종이비행기를 날리고 있다.
   어떤 종이비행기는 매우 똑바로 날아간다.
   어떤 종이비행기는 오랫동안 공중에 머무른다.
   피터의 취미는 종이비행기를 만들고 날리는 것이다.
   피터는 여유가 있을 때 종이비행기를 만들고 날린다.
   그는 많은 다양한 스타일의 종이비행기를 만든다.
   그는 종이비행기가 공중에 날고 있는 것을 보면 기분이 좋다.
05 ① 피터는 종이비행기를 만들면서 여유 시간을 보낸다.
   ② 피터는 다양한 종류의 종이비행기를 만들 수 있다.
   ③ 피터는 지금 공원에 있다.
   ④ 종이비행기를 만들고 날리는 것은 피터의 취미다.
   ⑤ 모든 종이비행기는 매우 높이 날 수 있다.

07 *[go+-ing] 형은 '~하러 가다'라는 의미로 go의 목적을 나타냅니다.

08 미식축구나 농구 같은 활동

09 결혼 예식

10 교실에 소년 3명이 있다. 그들은 내 반 친구들이다.

11 A: 우리랑 축구하고 싶니, 신디?

   B: 그러고 싶은데 내 개를 산책시켜야 해.

12 그것은 대략 50미터 높이야.

   ② 그 건물은 얼마나 높니?

13 (1) 도노반은 회의에 참석하지 않았다.

   (2) 너는 원을 그릴 수 있니?

   (3) 그 소녀는 크레용으로 그리고 있다.

14 A: 너는 얼마나 자주 기타를 연습하니?

15 B: 대략 150m 길이야.

WORD MASTER

01 공중, 공기	02 참석하다	03 다른, 다양한
04 좋아하는	05 행복	
06 늘리다, 증가시키다		07 풍경
08 자주	09 한 번	10 줄이다
11 머무르다	12 똑바로	13 보통, 주로
14 다양	15 결혼식	

Chapter 6 음악

UNIT 1 아이린의 꿈

Irene has a dream to become a famous superstar when she grows up.
아이린은 커서 유명한 슈퍼스타가 되는 꿈이 있어요.

She enjoys singing and dancing.
그녀는 노래하는 것과 춤추는 것을 즐겨요.

She practices her dancing skills every day. 그녀는 매일 춤 실력을 연습해요.

She watches dancing videos and follows the moves in the videos.
그녀는 춤추는 영상을 보고 영상의 동작을 따라 해요.

On Monday, Wednesday, and Saturday she takes singing lessons, so she can improve her singing skills.
월요일, 수요일과 토요일에 그녀는 노래 수업을 들어서 그녀의 노래 실력을 향상시킬 수 있어요.

She likes to perform in front of her family and friends.
그녀는 가족과 친구들 앞에서 공연하는 것을 좋아해요.

They think she is really talented.
그들은 그녀가 정말 재능이 있다고 생각해요.

Irene works really hard to make her dreams come true.
아이린은 그녀의 꿈이 실현되도록 정말 열심히 노력해요.

READING CHECK

1 ③   2 ⑤   3 ②   4 a famous superstar

해석 및 해설

1 ① 아이린은 노래하는 것과 춤추는 것을 좋아한다.

   ② 아이린은 일주일에 세 번 노래 수업을 듣는다.

   ③ 아이린의 친구들은 아이린이 노래는 잘하지 못한다고 생각한다.

   ④ 아이린은 가족 앞에서 노래하는 것을 좋아한다.

   ⑤ 아이린은 춤추는 영상을 본다.

2 ① 영화를 만들기 위해서

   ② 그녀의 숙제를 끝내기 위해서

   ③ 춤추는 소녀들을 그리기 위해서

④ 그녀의 노래 실력을 향상시키기 위해서
⑤ 그녀의 춤 실력을 향상시키기 위해서
4 A: 아이린은 커서 무엇이 되고 싶니?

1 ②   2 (1) lessons (2) famous (3) perform
3 ②   4 ⑤

해석 및 해설
1 나는 너의 꿈이 이루어지길 희망한다.
2 (1) 나는 매일 음악 수업을 듣는다.
  (2) 나는 유명한 축구선수가 되고 싶다.
  (3) 그녀는 콘서트를 하러 전 세계를 여행한다.
3 금요일 다음 날이자 일요일 전 날

GRAMMAR TIME

1 ②
2 (1) making (2) talking (3) watching / to watch
  (4) washing

해석 및 해설
1 *enjoy, finish, love, like 등 다음에는 동명사가 올 수 있습니다.
2 (1) 그들은 겨울에 눈사람 만드는 것을 즐긴다.
  (2) 그들은 그가 들어왔을 때 말하는 것을 멈췄다.
  (3) 나는 집에서 TV로 스포츠 보는 것을 아주 좋아한다.
  (4) 그 남자는 설거지를 마쳤다.

UNIT 2 악기

Playing a musical instrument is a great hobby. 악기를 연주하는 것은 훌륭한 취미예요.
Josh can play the piano very well.
조쉬는 피아노를 매우 잘 칠 수 있어요.

He started playing the piano when he was 5 years old.
그는 그가 5살 때 피아노 치는 것을 시작했어요.

He still really enjoys it now.
그는 여전히 지금도 그것을 정말로 즐겨요.

It's the perfect way to relax and get cheered up when he's feeling down.
그것은 그가 마음이 울적할 때 편하게 해주고 위로해 주는 완벽한 방법이에요.

He has piano lessons twice a week.
그는 일주일에 두 번 피아노 수업이 있어요.

He has a lovely brown piano in his room.
그의 방에는 사랑스러운 갈색 피아노가 있어요.

He enjoys playing the piano at home.
그는 집에서 피아노 치는 것을 즐겨요.

Sometimes, he makes his family annoyed because he plays the piano all day on the weekends.
때로는 주말에 하루 종일 피아노를 치기 때문에 가족들을 짜증나게 하기도 해요.

His family doesn't want to listen to him play the piano on the weekends, but Josh thinks he needs more practice.
그의 가족은 주말에 그의 피아노 소리 듣는 것을 원하지 않지만 조쉬는 더 연습할 필요가 있다고 생각해요.

READING CHECK

1 ⑤   2 ②   3 ①   4 plays the piano
해석 및 해설
3 ① 연습이 완벽을 만든다.
  ② 그 아빠에 그 아들
  ③ 보는 것이 믿는 것이다.
  ④ 무소식이 희소식이다.
  ⑤ 덫에 걸린 쥐
4 A: 조쉬는 우울할 때 무엇을 하니?

WORD CHECK

1 ②   2 (1) all day (2) relax (3) really   3 ②
4 ①

해석 및 해설
1 그는 훌륭한 음악가다.
  *명사 앞에는 형용사가 필요합니다.
2 (1) 나는 하루 종일 침대에서 머물렀다.
  (2) 음악은 나를 편안하게 한다.
  (3) 그들은 한국 음식을 정말로 좋아한다.
3 7일간의 기간

GRAMMAR TIME

1 ④   2 ③

1 ① 그는 천천히 걸었다.
  ② 그 파티는 정말로 즐거웠다.
  ③ 나는 어제 메리와 점심을 먹었다.
  ⑤ 오늘은 매우 덥다.
2 우리는 언제나 너를 기억할 것이다.

UNIT 3 학교 밴드

A school band is a group of student
musicians. 학교 밴드는 학생 음악가 그룹이에요.

They rehearse and perform their musical
instruments together.
그들은 악기들을 함께 연습하고 공연해요.

Chris is a member of the school band.
크리스는 학교 밴드 회원이에요.

His band is going to participate in a
local contest.
그의 밴드는 지역 대회에 참가할 거예요.

He plays the trumpet in the band.
그는 밴드에서 트럼펫을 연주해요.

The band has many sections.
밴드는 많은 섹션들이 있어요.

Susan and Ted are in the flute section.
수잔과 테드는 플루트 섹션이에요.

They blow into their instruments.
그들은 그들의 악기를 불어요.

They put their fingers over the holes on
their flutes.
그들은 손가락을 플루트의 구멍 위에 올려놓아요.

Cathy and Donovan are in the violin
section. 캐시와 도노반은 바이올린 섹션이에요.

Violins are string instruments.
바이올린은 현악기예요.

They push up and pull down the bow
across the violin's strings. 그들은 바이올린
줄을 가로질러 활을 밀었다 끌어당겼다 해요.

The band practices for the contest every
day. 밴드는 매일 대회 연습을 해요.

Chris hopes his band performs well at
the contest.
크리스는 그의 밴드가 대회에서 공연을 잘하기를 바라요.

READING CHECK

1 ③   2 (1) (violin's) bow (2) (violin's) strings
3 ①   4 (1) Yes (2) Yes (3) No

해석 및 해설
1 ① 크리스는 밴드에서 피아노를 연주한다.
  ② 테드는 밴드에서 바이올린을 연주한다.
  ③ 도노반은 바이올린 연주할 때 바이올린 활을 이용한다.
  ④ 플루트는 현악기다.
  ⑤ 밴드는 일주일에 3번 대회 연습을 한다.
4 (1) 플루트에는 구멍들이 있니?
  (2) 밴드는 지역 대회 연습을 하니?
  (3) 수잔은 바이올린을 연주하니?

WORD CHECK

1 ⑤   2 ⑤   3 ②   4 (1) B (2) C (3) A

해석 및 해설
2 그는 호루라기를 불고 있다.
4 A. 얇은 줄
  B. 활이 있는 작은 현악기
  C. 작은 음악가 모임

GRAMMAR TIME

1 ③
2 (1) broke down (2) lie down (3) stand up (4) wake up

REVIEW TEST

01 ④   02 ⑤   03 ④   04 ②   05 ③   06 ③   07 ④
08 ②   09 ①   10 ②   11 ④   12 ④
13 (1) participate (2) practice (3) need
14 Her family and friends   15 up

해석 및 해설
01 요즘 나는 야구 하는 것을 즐긴다.
   *[enjoy+-ing] 형태입니다.
02 그 개는 정말로 빠르다.
03 *빈도 표시 부사는 be동사 다음에 옵니다.
04 *enjoy, finish, stop, like 등의 동사는 동명사가 올 수
   있습니다.
[05-06]
   악기를 연주하는 것은 훌륭한 취미다.
   조쉬는 피아노를 매우 잘 칠 수 있다.
   그는 그가 5살 때 피아노 치는 것을 시작했다.
   그는 여전히 지금도 그것을 정말로 즐긴다.
   그것은 그가 마음이 울적할 때 그를 편하게 해주고 위로해
   주는 완벽한 방법이다.

그는 일주일에 두 번 피아노 수업이 있다.

05 ① 조쉬는 피아노 연주를 잘한다.
② 조쉬는 피아노 수업을 받는다.
③ 조쉬는 훌륭한 음악가가 되고 싶다.
④ 조쉬는 우울할 때 피아노를 연주한다.
⑤ 조쉬는 피아노 치는 것을 좋아한다.

06 ① 악기 배우기
② 밖에서 놀기
③ 피아노 치기
④ 취미 갖기
⑤ 악기 연주하기

07 그녀와 그녀의 아이는 앉고 싶다.
나는 두통이 있어 누워야 한다.

08 직업으로 악기를 연주하는 사람

09 검고 하얀 건반이 있는 큰 악기

10 아주 유명한 연예인이나 스포츠 선수

11 아이린은 꿈을 이루기 위해서 정말로 열심히 한다.

12 ① 그는 매우 천천히 걷는다.
② 그 영화는 정말로 재미있다.
③ 나는 내일 그를 만날 것이다.
⑤ 오늘은 매우 춥다.

13 ⑴ 우리는 대회에 참여할 것이다.
⑵ 나는 일주일에 두 번 피아노를 연습한다.
⑶ 우리는 상쾌한 공기가 좀 필요하다.

14 그녀는 가족과 친구들 앞에서 공연하는 것을 좋아한다.
그들은 그녀가 정말로 재능 있다고 생각한다.

15 그녀는 파티를 위해 옷을 차려 입는다.
남는 자리가 없어서 그는 서 있어야 했다.

WORD MASTER

01 즐기다	02 플루트	03 취미
04 구멍	05 향상하다	06 악기
07 지역의	08 음악가	09 완벽한
10 공연하다	11 연습하다	12 편안해지다
13 재능 있는	14 트럼펫	15 주말

WORKBOOK Answers

Chapter 1

Unit 01　My Class

01 kind　02 clean　03 laughter　04 library
05 active　06 helpful

01 ③　02 ②

01 ⓑ　02 ⓐ　03 ⓒ

01 many　02 much　03 friends　04 much

01 나의 교실은 매우 넓고 깨끗하다.
02 나의 반 친구들은 매우 활기차고 활동적이다.

석 및 해설

01 그녀는 많은 책들을 가지고 있지 않다.
02 병에 많은 우유가 있니?
03 너는 친구가 많이 있니?
04 너는 돈이 얼마나 있니?

Unit 02　School Life

01 math　02 learn　03 value　04 subject
05 science　06 center

01 ②　02 ③

01 ⓑ　02 ⓒ　03 ⓐ

01 What　02 Where　03 What　04 What

01 네가 좋아하는 과목은 뭐니?
02 나의 학교는 나의 마을 중심에 위치해 있다.

Unit 03　School Sports Day

01 stand　02 fall　03 war　04 basketball
05 hug　06 give up

01 ⑤　02 ②

01 ⓒ　02 ⓑ　03 ⓐ

01 look like　02 feel like　03 like

01 그는 출발선에 서 있다.
02 그가 다시 일어나서 결승선으로 달린다.

Chapter 2

Unit 01　Future Dreams

1　01 easy　02 practice　03 Saturday
　　04 medicine　05 cure　06 competition

2　01 ①　02 ②

3　01 ⓒ　02 ⓑ　03 ⓐ

4　01 singer　02 musician　03 dancer
　　04 writer　05 tourist　06 scientist
　　07 actor　08 inventor

5　01 그녀는 매일 바이올린을 연습한다.
　　02 약사가 되는 것은 쉽지 않다.

Unit 02　Future Job

1　01 visit　02 heavy　03 hold　04 put out
　　05 safe　06 chance

2　01 ⑤　02 ④

3　01 ⓒ　02 ⓑ　03 ⓐ

4　01 turn on　02 waiting for　03 look after

5　01 그들은 화재에서 그들을 안전하게 지켜줄 특별한 옷을 입
　　　는다.
　　02 소방관들은 밤낮으로 일한다.

Unit 03　Mr. Jason

1　01 road　02 airport　03 driver　04 subway
　　05 passenger　06 carefully

2　01 ④　02 ②

3　01 ⓒ　02 ⓑ　03 ⓐ

4　01 on　02 in　03 in　04 at　05 at

5　01 그는 공항에서 호텔들로 왕복하며 승객들을 데려다 준다.
　　02 그는 더 많은 사람들이 대중교통을 이용하기를 바란다.

4 01 우리는 화요일에 수영을 한다.

02 그들은 오후에 산책을 한다.

03 나는 2015년에 런던에 살았다.

04 그는 밤에 일하고 낮에 잔다.

05 나는 10시 30분에 잔다.

Chapter 3

Unit 01 The Big Bookstore

1 01 again 02 bookstore 03 station

04 get to 05 get off 06 office

2 01 ① 02 ③

3 01 ⓒ 02 ⓐ 03 ⓑ

4 01 much 02 old 03 far 04 many

5 01 네 사무실 주변에 어떤 랜드마크가 있니?

02 나는 그 서점에 도착하면 너에게 다시 전화할 것이다.

Unit 02 The Statue of Liberty

1 01 crown 02 tourist 03 island

04 freedom 05 statue 06 famous

2 01 ④ 02 ①

3 01 ⓑ 02 ⓐ 03 ⓒ

4 01 Chinese 02 Tom 03 Seoul

04 Monday

5 01 많은 관광객들이 자유의 여신상을 방문한다.

02 자유의 여신상은 머리에 7개의 스파이크가 있는 왕관을 쓰고 있다.

4 01 너는 중국어를 할 수 있니?

02 앨리스와 톰은 캐나다에서 왔다.

03 나는 서울에서 태어났다.

04 나는 월요일에 피아노 연습을 한다.

Unit 03 The Eiffel Tower

1 01 people 02 bring 03 iron 04 huge

05 light bulb 06 capital

2 01 ② 02 ②

3 01 ⓑ 02 ⓒ 03 ⓐ

4 01 taller 02 tallest 03 longest 04 more

5 01 엘리베이터는 사람들을 타워 꼭대기로 데리고 온다.

02 에펠 타워는 철로 만들어졌고, 커다란 A처럼 생겼다.

4 01 마크는 제임스보다 키가 더 크다.

02 그녀는 학교에서 가장 키가 큰 소녀이다.

03 저것은 세상에서 가장 긴 강이다.

04 자택 학습이 점점 더 인기를 얻고 있다.

Chapter 4

Unit 01 By Subway

1 01 convenient 02 underground 03 wait

04 museum 05 enter 06 passenger

2 01 ⑤ 02 ②

3 01 ⓒ 02 ⓑ 03 ⓐ

4 ③

5 01 지하철은 매우 붐벼서 빈자리가 없다.

02 그들은 표 자동판매기에서 표를 산다.

4 그녀는 갑자기 노래하기 시작했다.

① 그는 소파에서 자고 있다.

② 그 소년들은 지금 축구를 하고 있다.

③ 그의 취미는 책을 읽는 것이다.

④ 너 지금 뭐하고 있니?

⑤ 샘은 지금 TV를 보고 있다.

Kinds of Transportation

01 kind　　02 travel　　03 wing　　04 distance
05 speed　　06 carry

01 ②　　02 ⑤

01 ©　　02 @　　03 ⓑ

③

01 어떤 기차들은 한 장소에서 다른 장소로 상품들을 실어
　　나른다.
02 비행기는 장거리 여행을 하는 가장 빠른 방법이다.

석 및 해설

나는 야구를 좋아해.
① 너는 어떤 음악을 연주하고 있니?
② 너는 지금 무엇을 하고 있니?
③ 너는 어떤 운동을 좋아하니?
④ 너는 어떤 종류의 후식을 원하니?
⑤ 너는 어떤 종류의 음식을 먹고 싶니?

Unit 03　　**Safety Rules**

01 cross　　02 injury　　03 protect　　04 serious
05 accident　　06 safe

01 ②　　02 ④

01 ⓑ　　02 @　　03 ©

01 while　　02 when　　03 while

01 차가 지나갈 때는 도로를 절대 건너지 마라.
02 안전 규칙을 배워 보자.

Chapter 5

Unit 01　　**Paper Airplanes**

01 free　　02 pilot　　03 straight　　04 paper
05 air　　06 different

01 ③　　02 ⑤

01 ©　　02 ⓑ　　03 @

01 They　　02 them　　03 They　　04 It

5　01 어떤 종이비행기는 매우 똑바로 날아간다.
　02 종이비행기를 만들고 날리는 것은 매우 재미있다.

해석 및 해설

4　01 앤디와 케빈은 나의 사촌들이다. 그들은 런던에 산다.
　02 나는 내 연필들을 잃어버렸다. 너는 그것들을 봤니?
　03 톰은 과자가 좀 있다. 그것들은 매우 맛있어 보인다.
　04 그녀는 내게 연필을 줬다. 그것은 파란 연필이었다.

Unit 02　　**Skateboarding**

1　01 uncle　　02 start　　03 usually　　04 often
　05 attend　　06 tomorrow

2　01 ③　　02 ①

3　01 ©　　02 @　　03 ⓑ

4　01 long　　02 far　　03 often

5　01 누구랑 함께 스케이트보드 타러 갈 거니?
　02 나는 주로 토요일에 스케이트보드를 타러 간다.

해석 및 해설

4　01 A: 그 다리는 얼마나 기니?
　　　B: 60미터 길이야.
　02 A: 여기서 시장까지 얼마나 머니?
　　　B: 약 2킬로 정도다.
　03 A: 너는 얼마나 자주 피아노 연습을 하니?
　　　B: 나는 일주일에 두 번 해.

Unit 03　　**Having a Hobby**

1　01 landscape　　02 find　　03 drawing
　04 crayon　　05 use　　06 increase

2　01 ③　　02 ③

3　01 @　　02 ©　　03 ⓑ

4　01 to buy　　02 to eat　　03 to stop

5　01 나는 사람들, 동물, 풍경 그림 그리는 것을 좋아한다.
　02 취미를 갖는 것은 여러분의 행복을 증가시킬 것이다.

Chapter 6

Unit 01　Irene's Dream

1　01 perform　02 follow　03 skill
　　04 improve　05 Wednesday　06 move

2　01 ①　02 ②

3　01 ©　02 ⓑ　03 ⓐ

4　01 watching　02 washing
　　03 to learn / learning　04 to read / reading

5　01 그녀는 춤추는 영상을 보고 영상의 동작을 따라 한다.
　　02 아이린은 그녀의 꿈이 실현되도록 정말 열심히 노력한다.

해석 및 해설

4　01 그는 영화 보는 것을 즐긴다.
　　02 나는 막 설거지를 끝냈다.
　　03 나는 지난해 중국어를 배우기 시작했다.
　　04 나의 아빠는 책 읽는 것을 좋아한다.

Unit 02　Musical Instruments

1　01 all day　02 brown　03 lovely　04 need
　　05 still　06 perfect

2　01 ②　02 ③

3　01 ⓑ　02 ⓐ　03 ©

4　⑤

5　01 그는 그가 5살 때 피아노 치는 것을 시작했다.
　　02 그의 가족은 주말에 그의 피아노 소리 듣는 것을 원하지
　　　않는다.

해석 및 해설

4　① 그 상자는 매우 무겁다.
　　② 그 영화는 정말로 재미있었다.
　　③ 나는 항상 메리와 점심을 먹는다.
　　④ 그녀는 보통 긴 치마를 입는다.
　　⑤ 그녀는 학교에 절대 지각하지 않는다.

Unit 03　The School Band

1　01 member　02 participate　03 finger
　　04 string　05 musician　06 together

2　01 ②　02 ④

3　01 ©　02 ⓐ　03 ⓑ

4　01 Lie down　02 sit down　03 broke down
　　04 get up

5　01 그들은 손가락을 플루트의 구멍 위에 올려놓는다.
　　02 그의 밴드는 지역 대회에 참여할 것이다.

Longman

ANSWERS

ink**books**
www.inkbooks.co.kr
구매문의 02) 455 9620